Gimme Kraft!®

Gimme Kraft!
Effektives Klettertraining

Autoren:
Patrick Matros, Ludwig „Dicki" Korb

Produzent | Fotografie | Videografie:
Hannes Huch

Gebertstr. 9, 90411 Nürnberg, Germany
www.gimmekraft.com · www.cafekraft.de

Grafikdesign:
Inge Klier · www.klierdesign.de

Übersetzung:
Florian Scheimpflug

Webdesign:
Franz Walter

Gesamtherstellung:
Osterchrist Druck und Medien GmbH

Papier:
Circle Offset, FSC® 100% Recycling

Printed in Frankenjura
3. Auflage 2014

ISBN 978-3-00-042331-4

Patrick Matros | Ludwig „Dicki" Korb | Hannes Huch

Effektives Klettertraining | Effective climbing training

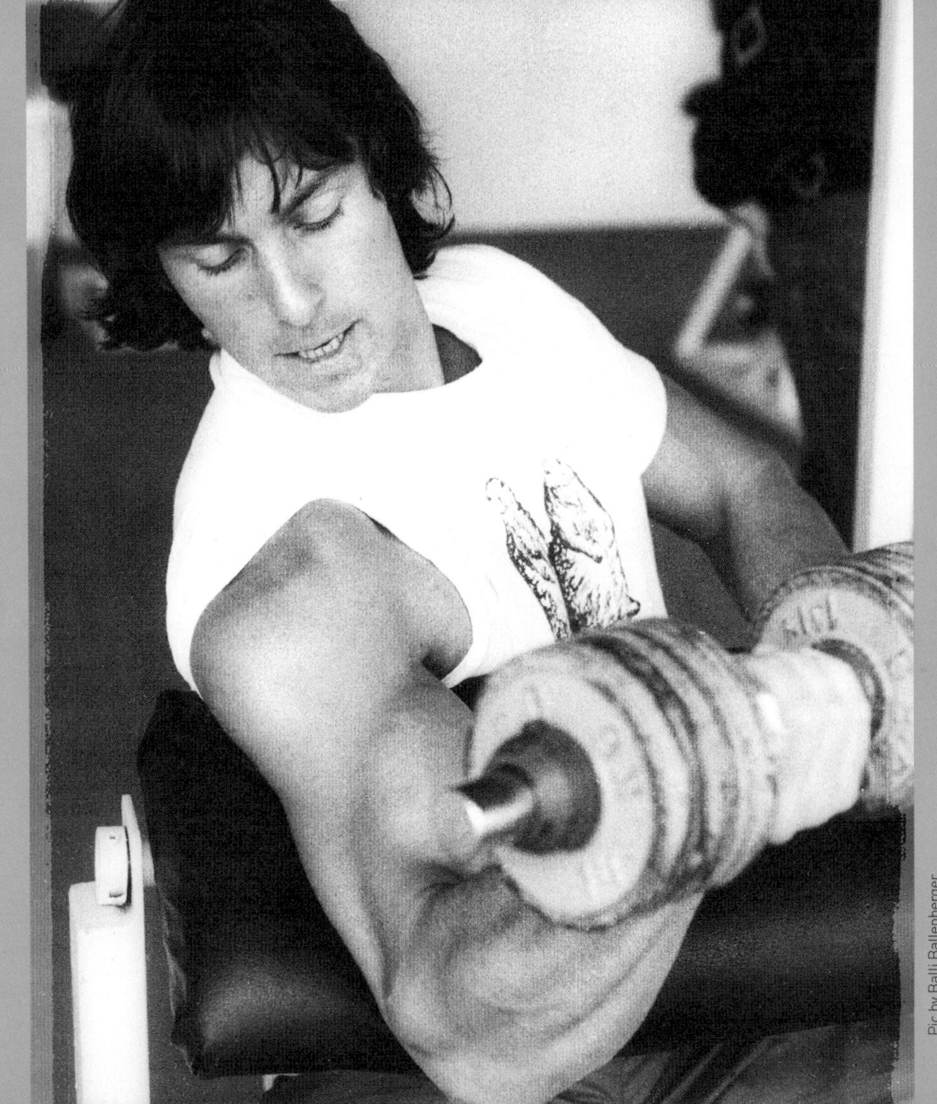

Pic by Balli Ballenberger

»Im Sport bedarf es einer permanenten Störung des Ruhepotentials.«

»In sports, a permanent disturbance of the resting-potential is necessary.«

Wolfgang Güllich (1960 – 1992) war DER Wegbereiter des extremen Sportkletterns. Ihm gelang als Erstem weltweit eine Route im Grad X (8b), im Grad X+ (8b+), im Grad XI- (8c). Mit seinem Meisterstück „Action Directe" eröffnete er den ersten glatten Elfer (9a). Darüber hinaus war er einer der fähigsten Analytiker des Klettersports und erfand das Campusboard. Seine Gedanken und Routen werden im Klettern stets gegenwärtig sein.

Wolfgang Güllich, (1960-1992) paved the way for sports-climbing on an extreme level. He opened the world's first 8b ("Kanal im Rücken", 1984), 8b+ ("Punks in the Gym", 1985) and 8c ("Wallstreet", 1987), but his true master piece was the first ascent of "Action Directe", the world's first route graded 9a. Besides his extraordinary abilities in climbing he was one of its most competent analysts as well as the inventor of the famous Campusboard. His routes and thoughts will forever be present in climbing.

GANT

»Er war ja der Erste, der irgendwelche Bretter im Kraftraum anbringen ließ. Mit Leisten, bei denen ich mich immer fragte, wofür sie gut sein sollten. Die waren rund ... ich habe versucht mich daran zu hängen, aber es war unmöglich. Aber er hing dort und machte Hangelübungen. Und dann auch so, dass er jeden Finger einzeln trainiert hat. Also auch schon vorausschauend, weil man erst später in der Trainingslehre zeigen konnte, dass einarmiges Training effektiver ist als beidarmiges und einfingriges besser als gesamtfingriges. Er hat scheinbar alles intuitiv gemacht, was später wissenschaftlich belegt wurde.
Der Kletterer muss immer Dinge machen, bei denen andere sagen, das ist ja verrückt. Aber: Es sind die Verrückten, die die Welt verändern. Es sind nicht die Biedermänner, die neue Ideen bringen, sondern Diejenigen, die fast jenseits des Möglichen arbeiten.«

»He was the first one to apply boards in the weight-room. I saw the small edges and always wondered what the hell they might be good for. I tried to dead-hang on them but I couldn't manage to because they were rounded. Wolfgang was hanging there with ease and performed his exercises. He also trained each finger separately. In this respect he was also very anticipative because it was only much later that sports science discovered that it is more effective to train each arm separately than training both at the same time. Thus everything you perform hanging on one finger is much better than on all fingers. It seemed to me that a lot of the things he did intuitively, have later been approved by sports science.
The climber always has to engage in things which others might call crazy. It's the crazy people that change the world. It's not the Average Joe who introduces new ideas but the ones who operate in areas beyond the possible.«

Professor Weineck über | about Wolfgang Güllich

Prof. Dr. Jürgen Weineck (Jahrgang 1941) ist eine Koryphäe der Sportwissenschaft und ein weltweit geschätzter Experte auf diesem Gebiet. Seine Bücher wurden in nahezu 40 Sprachen übersetzt (er selbst spricht zehn Sprachen). Professor Weineck trainierte zusammen mit Wolfgang Güllich, der Student an seinem Institut in Erlangen war.

Prof. Dr. Jürgen Weineck (born 1941) is a luminary of sports science and a worldwidely respected expert on the subject. His books have been translated into more than 40 languages (Prof Weinbeck himself is fluent in ten). Back in the days he trained with Wolfgang Güllich who was one of his students in his institute in Erlangen.

ELDER POWER GENERATION

Das Wichtigste ist es, sich den Spaß an der Sache zu erhalten: Fotografen-Legende Thomas „Balli“ Ballenberger beim cruisen.

The most important thing while doing it is to keep the fun alive: Photographer-legend Thomas “Balli” Ballenberger while cruising.

Inhalt · Content

Zeichenerklärung
Explanation of icons

Trainingslevel (Einsteiger bis Profi)
Level of training (beginner up to pro)

Explosivkrafttraining
Explosive power training

Komplexes Ausgleichstraining
Balanced strength training

Auch für Jugendliche geeignet
Suitable for youth

Editorial

Und wenn ich wüsste, dass morgen die Welt untergeht; ich würde heute noch einen Klimmzug machen.
(frei nach Martin Luther)

Jedes große Werk beginnt mit einer großen Danksagung. Deswegen soll es an dieser Stelle auch nicht anders sein. Diese Seite ist dem Dank gewidmet oder besser den Menschen, denen dieser Dank gebührt, weil sie zum Gelingen dieses Projekts beigetragen haben.

Allen voran unseren Models, die sich vor allem durch drei Eigenschaften auszeichneten: Sie waren nicht nur superfit, sondern haben auch die richtige Leidensbereitschaft mitgebracht, um sich bei den Shootings ausgiebig schinden zu lassen. Damit nicht genug: Sie haben uns auch noch Einblick in ihre geheimsten Trainingserkenntnisse gewährt.

Weiters möchte ich mich bei Patrick und Dicki bedanken, weil die beiden so manchen wunderbaren Klettertag mit allerbestem Grip verstreichen ließen und ihre legendäre Fingerkraftausdauer an der Plastiktastatur aufgebraucht haben, um ihre wunderbaren Anleitungen zu formulieren. Hätten sie es nicht auch gerne getan, wäre mein Gewissen gemarterter als es ohnehin schon ist.

Danke auch an die (geduldige, kreative, innovative) Inge Klier. Sie hat das totale Chaos an unklaren Bildern und verwirrenden Infos in ein leiwandes (ösisch für: fett) pipifeines Layout verwandelt.

Crossmedia klingt nur mit gescheiten Beats so cross, wie Media klingen soll, und das haben wir niemand geringerem als DJ Tom Shopper aus der Tech-House Metropole Nemberch zu verdanken, der uns nicht nur mit diesen sondern auch mit einem Titeltrack der Extraklasse versorgte.

Ob das Web jetzt die halbe, die ganze oder die zweidreiviertel Miete ist sei dahingestellt. Fakt ist, dass ohne Web gar nix geht. Unser hochgeschätzter Franz Walter (Props, Kniefall, Ritterschlag) hat dafür gesorgt, dass dank *gimmekraft.com* das Web abgeht wie selten zuvor. Muchas gracias!

„Business before pleasure" galt auch für CLIMAX-Kopiergehilfe-auf-Lebenszeit Flo Scheimpflug, der uns netterweise die englische Übersetzung machte. Supported von niemand geringerem als Alex Megos.

Last but not least möchte ich all den netten Menschen danken, die stets im Hintergrund werkeln, motivieren, unterstützen, trösten und ohne die sowieso gar nix gegangen wäre. Will man allen Helfern danken, läuft man Gefahr den Ein oder Anderen zu vergessen. Also dann mal los: 1000 Dank an Thomas Balli Ballenberger, Martha Walter, Norbert Sandner, Dr. Fritz Güllich, Marion Hett, Christoph Bösl (den Namenserfinder von Gimme Kraft!), Alex Nehls, Ivo Ninov, Sonja Teine, Frank Kretschmann, unsere Lektoren Pino, Karoline and Peter sowie all die wertvollen Sponsoren des Projekts. I love you all!

Genug gedankt, genug geschwafelt.

Liebe Leserin, lieber Leser, ich wünsche dir viel Spass mit unserem beschaulichen Werk. Möge es dir dazu gereichen, deine Grenze bis in alle Unendlichkeit zu verschieben: „Push 'em limits 'til you can't push 'em no more!"

Gimme Kraft!

Hannes im Café Kraft, 2013

PS: Über Feedback auf facebook.com/gimmekraft freuen wir uns sehr.

"And if I knew that the world would be gone by tomorrow, I'd make a last pull-up today."
(based loosely on Martin Luther)

Every great work starts with an expression of gratitude and in our case it's no difference. A big shoutout goes to each and everyone who was involved in this project and made it as great as it is. Without you it wouldn't be what it is.

First of all, I'd like to thank our models who are characterized by three qualities: Firstly, by being superhumanly fit, secondly, by possessing the ability to suffer during our never ending shootings, and thirdly, because they gave us some insight into their training-secrets.

Furthermore I want to thank Patrick and Dicki who spent countless low-gravity days wasting their legendary finger-power on the keybord to put their sophisticated knowledge into fine words. If they themselves hadn't enjoyed it as well, I would have been stung with remorse eternally.

Thanks also to our (patient, creative, lovable) Inge Klier. She managed to transform the total chaos of info and pictures into a great and enjoyable layout.

Crossmedia needs the right beats to sound real cross and therefore we owe no other than the unparalleled DJ Tom Shopper straight out of the tech-house metropole Nemberch, who supplied us not only with these tracks but also with a classy title-track. Muchas gracias! Business before pleasure was also the motto of CLIMAX-copytrainee-for-lifetime Flo Scheimpflug who translated this work into English. He was supported by one of the strongest people ever to crimp a pen, Alex Megos that is.

Last but not least I want to thank the background-army: all those lovely souls who motivate, support and console. If you try to name them all, you always risk to forget someone. Ok, and here we go. 1000 thanks to Thomas Balli Ballenberger, Martha Walter, Norbert Sandner, Dr. Fritz Güllich, Marion Hett, Christoph Bösl (the inventor of the book title "Gimme Kraft!"), Alex Nehls, Ivo Ninov, Sonja Teine, Frank Kretschmann, our editors Pino, Karoline and Peter as well as all our valuable sponsors. I love you all!

'Nuff said for now. Dear readers, I wish you a lot of fun with our fine little training-bible. May this book help you push your limits until kingdom come: "Push 'em limits 'til you can't push 'em no more!"

Gimme Kraft!

Hannes, Café Kraft, 2013

PS: We are happily looking forward to your feedback on facebook.com/gimmekraft.

»Power is one of the most important aspects of climbing. Without power you are weak and you can't do certain moves whether you're climbing a long route outside or at a bouldering competition. Power is one of the most basic and most important ingredients for success.
For me training is always evolving and I'm always learning from the people around me. I don't think that I had one single person that influenced me the most. But rather my friends and past trainers. I'm always looking for a new advice and for new training methods. And therefore I'm still looking for the most perfect method of training. It's not so scientific to me in my opinion. You excel most when you're having the most fun and while you're pushing your limits to the maximum.«

»Kraft ist einer der wichtigsten Aspekte beim Klettern. Ohne Kraft ist man schwach und einfach nicht in der Lage manche Moves zu machen, egal ob das jetzt in einer langen Felsroute oder beim Wettkampf ist. Kraft ist eine der grundlegendsten und wichtigsten Zutaten für den Erfolg.
Training ist für mich ein Prozess der steten Weiterentwicklung und ich habe das Gefühl, dass ich diesbezüglich viel von den Leuten um mich herum lernen kann. Deswegen glaube ich auch nicht, dass mich nur eine Person beeinflusst hat, sondern es waren eher Freunde und Trainer aus meiner Vergangenheit, die das taten. Ich bin immer offen für neue Ratschläge und halte Ausschau nach innovativen Tipps zum Trainieren.
Ich bin noch immer auf der Suche nach der idealen Trainingsmethode und das ist meiner Meinung nach nicht unbedingt eine wissenschaftliche Sache. Viel wichtiger ist es, Spass an der Sache zu haben und seine Limits bis zum Maximum pushen zu können.«

Sasha DiGiulian

Sasha DiGiulian (Jahrgang 1992) gehört zu den allerbesten Felskletterinnen. Sie gehört zum exklusiven Club der 9a-Mädels, seitdem sie 2012 Era Vella in Margalef ticken konnte. Doch auch im Wettkampf oder beim Bouldern erzielt sie Weltklasse-Leistungen und gilt deswegen als echtes Allround-Talent.

Sasha DiGiulian (born 1992) is one of today's top sports-climbers. Since her fabulous tick of Era Vella (9a)/Margalef in 2012 she's a member of the exclusive club of the 9a-ladies. But that's not all Sasha has to offer – she's top notch in competition climbing and bouldering as well and can thus be called a genuine allrounder.

Access
the
inaccessible

Petzl Athlete Sasha DiGiulian
Rolihlahla 8b
Waterval Boven/South Africa
© Keith Ladzinski
PETZL

Einführung ins effektive Klettertraining

In der folgenden Einleitung geben wir dir in aller Kürze die wichtigsten Informationen zum Thema „effektives Klettertraining". Eine vollständige Einführung in dieses komplexe Thema hätte jedoch den Rahmen dieses Buches gesprengt.

Dennoch wollten wir nicht darauf verzichten: Du findest sie zusammen mit weiteren Literaturhinweisen als PDF zum Download unter:
www.gimmekraft.de.
Das Passwort dafür lautet: 159Guellich.

Allgemeine Grundsätze des (Kletter-) Krafttrainings

Es zeigt sich, dass bei einem Krafttraining, das dem Ziel der langfristigen Leistungsverbesserung in einer Sportart folgt (das ist jedenfalls unsere Philosophie) verschiedene Grundsätze beachtet werden sollten. Im Folgenden zählen wir die für uns wichtigsten auf und geben, wenn nötig, eine kurze Erläuterung dazu.

Trainiere vielseitig

Das Kraftprofil der Sportart Klettern lässt dir keine andere Wahl, wenn du deine Leistung steigern willst: du musst stets die Entwicklung deiner Maximalkraft, deiner Kraftausdauer und deiner Explosivkraft im Auge behalten. Darüber hinaus benötigt deine Muskulatur sowohl isometrische, konzentrische als auch exzentrisch-konzentrische Belastungsreize.

Trainiere abwechslungsreich

Sportliches Training ist ein Adaptionsprozess: Dein Körper will es sich leichter machen! Deswegen ist es wichtig, deine Trainingsübungen zu variieren, um den Körper mit einer unvorhergesehenen Aufgabe zu konfrontieren. Dies bewirkt einen besonders effektiven Trainingsreiz. Wenn du stets dieselben Trainingsübungen „herunterspulst" wird dein Kraftzuwachs stagnieren. Wie oft du deine Trainingsinhalte wechselst und wie lange du an einer Übung festhältst ist ein sehr individuelles Problem. Als Grundregel gilt: Spätestens nach 6 Wochen muss ein Wechsel erfolgen.

Trainiere komplex

Komplex trainieren bedeutet, dass deine Übungen im engen Bezug zu einer mehr oder weniger komplexen Zielbewegung stehen sollten. Dies hilft dir bei einer ökonomischen Kraftentfaltung deiner sportartspezifischen Bewegungen. Muskeln arbeiten in sogenannten Muskelschlingen zusammen. Dies sind Muskelgruppen, die funktionell aufeinander abgestimmt einen ökonomischen Bewegungsablauf gewährleisten (Tittel, 1994). Beim Klettern kommen vor allem die Zugschlingen des Oberkörpers zum Einsatz. Wir empfehlen als Krafttraining hierfür vor allem Übungen, bei denen das Eigengewicht deines Körpers den Widerstand bildet. Diese Übungen besitzen meist viele Freiheitsgrade und ermöglichen einen besseren Transfer zu kletterspezifischen Bewegungen, bei denen ebenfalls dein eigenes Körpergewicht den Belastungswiderstand darstellt. Krafttrainingsmaschinen halten wir nur sehr eingeschränkt für geeignet (z.B. bei einem spezifischen Training nach Verletzungen). Die international hoch anerkannten Trainingswissenschaftler Zatsiorsky & Kraemer (2008) äußern sich dazu wie folgt: „Die wichtigste Einschränkung vieler Krafttrainingsmaschinen besteht darin, dass sie entwickelt wurden, um Muskeln zu trainieren und nicht Bewegungen. Aus diesem Grund bilden sie für Sportler nicht den wichtigsten Trainingsbereich".

Trainiere mit ausreichend Widerstand

Wie schon bei den Basismethoden des Krafttrainings erwähnt, ist es wichtig, dass du den Belastungsreiz bei deinen Übungen sorgfältig wählst. Wenn du locker 20 Klimmzüge schaffst, stellt ein Training mit 2x12 Wiederholungen einen sehr geringen Belastungsreiz dar. Du musst mit Zusatzgewicht arbeiten. Umgekehrt ist der Einstieg in eine neue, schwere Übung (z.B. einarmige Klimmzüge oder Deadhangs) meist nur möglich, wenn du den Widerstand deines Körpergewichts durch Entlastung verringerst. Für eine Feindosierung gibt es mehrere Möglichkeiten:

Die **Gewichtsweste** ist vor allem dann ideal, wenn du dich in mehreren Ebenen oder explosiv bewegst (z.B. bei Übungen an den Ringen). Der Gewichtsgürtel setzt direkt an deinem Körperschwerpunkt an und ist zum Bouldern/Klettern ideal.

Gewichtsweste oder Gewichtsgürtel als Zusatzgewicht

Hanteln als Zusatzgewicht sind bei Hängeübungen oder langsam bis zügig ausgeführten Bewegungen in einer Ebene (z.B. Zug- und Blockierübungen an der Klimmzugstange oder Deadhangs) ratsam.

Hantel als Zusatzgewicht

Dein **Partner** kann dir bei vielen Übungen eine gute Entlastungshilfe geben. Einige Übungen können auch mit Kraftwiderstand deines Partners absolviert werden. Das geht natürlich nur, wenn du nicht allein trainierst und dein Partner die nötige Kraft und das Feingefühl zur optimalen Dosierung besitzt.

Einführung ins effektive Klettertraining

Entlastung oder Widerstand durch Partner

Die Entlastung durch eine **Umlenkrolle** funktioniert nur bei Übungen, die nicht in mehreren Ebenen ablaufen (z.B. bei Klimmzügen). Zudem sind die technischen Voraussetzungen zur Anbringung nicht immer gegeben.

Entlastung durch Umlenkrolle

Trainiere progressiv

Wie bereits erläutert: Training ist ein Adaptionsprozess. Wenn du die Anforderungen an deinen Körper nicht schrittweise und dosiert erhöhst, wird deine Leistungsfähigkeit stagnieren.

Trainiere deine Nicht-Leistungsmuskulatur

Mit „Nicht-Leistungsmuskulatur" bezeichnet man die Muskeln, die bei den sportartspezifischen Bewegungen nur in geringem Maß belastet werden. Beim Klettern sind vor allem die Stützschlinge des Oberkörpers, sowie einige am Schulterblatt ansetzende Muskeln betroffen. Eine Schwäche dieser Muskeln kann zu einer einseitigen Belastung deines Bewegungsapparates und damit verbundenen Überlastungsbeschwerden führen. Ziel sollte deshalb eine ausgeglichene Entwicklung deiner Leistungs- und Nicht-Leistungsmuskeln sein. Das unterstützt dich bei einem langfristig geplanten und verletzungsfreien Trainingsaufbau und fördert funktionelle und ökonomische Bewegungen. 5-20% deines Krafttrainings (je nach Trainingsphase) sollten für diese Muskelgruppen reserviert werden. Denke auch bei diesem Training an ausreichend Widerstand!

Absolviere einen gewissen Teil deines Trainings unter Druckbedingungen

Die Zielsportart Klettern beinhaltet verschiedene Anforderungen, die Druck erzeugen: Du stehst mit dicken Armen einige Meter über der letzten Sicherung oder die Sonne geht am letzten Urlaubstag unter und du hast nur noch einen Versuch in deinem Boulderprojekt.

Der Umgang mit solchen Druckbedingungen muss trainiert werden, wenn du souverän damit umgehen willst. Dabei hilft dir, wenn du in dein Training ab und zu derartige Bedingungen (Zeitdruck, Klettern von Routen oder Bouldern mit dicken Unterarmen, Wettkampf gegen andere) einbaust. Das funktioniert am besten, wenn du kletternd trainierst. Du findest im Kapitel „Boulderwand" dazu einige Übungen.

Grundsätze einer Trainingseinheit

Bevor du loslegst, gilt es einige Grundsätze zu beachten, die du bei der Gestaltung deiner Trainingseinheit beachten solltest.

1) Wärme dich auf

Idealerweise beginnst du mit einer Aktivierung deines Herz-Kreislaufsystems durch lockeres Laufen (allgemeines Aufwärmen). Hast du nicht die Möglichkeiten dazu, kannst du auch einige gymnastische Übungen (z.B. Hampelmann, beidbeiniges/einbeiniges Hüpfen, Strecksprünge) absolvieren. Danach dehnst du deine Muskulatur kurz an (ca. 8 Sek. Dehnzeit). Anschließend absolvierst du einige Kräftigungsübungen mit für dich leichter bis mittlerer Intensität (z.B. kurzes Anblockieren an der Boulderwand oder kurzes Blockieren in verschiedenen Klimmzugpositionen). Danach machst du einige koordinative Übungen aus dem Turnen (wie z.B. Rad oder Sprungrolle). Je nach Trainingseinheit folgt zuletzt das spezifische Aufwärmen mit leichter bis mittlerer Belastung an der Kletter- oder Boulderwand.

2) Technik vor Kraft

Ein wichtiger Grundsatz bei der Planung deiner Trainingseinheit: Übungsformen, die ein hohes Maß an technischen Fertigkeiten beinhalten, sollten immer vor Übungsformen trainiert werden, die vor allem konditionelle Anteile beanspruchen. Konkret heißt das: Boulder- und Klettertraining steht immer vor reinem Krafttraining.

Komplexe Trainingsformen (z.B. eine Wettkampfsimulation), die viele verschiedene Leistungsfaktoren gleichzeitig trainieren, stehen immer vor weniger komplexen Übungsformen wie z.B. dem Systembouldern.

3) Keine Explosivkraft- oder Reaktivkraftübungen im erschöpften Zustand

Trainingsprofis sollten beachten, dass sie eine Trainingseinheit mit explosiven und reaktiven Übungen so planen, dass diese nicht in einem bereits erschöpften Zustand absolviert werden. Du musst diese Übungen nicht an den Anfang deiner Trainingseinheit legen, solltest dich aber vorher nicht zu stark verausgaben. Ein nicht zu sehr erschöpfendes Bouldertraining zu Beginn deiner Trainingseinheit ist da kein Problem. Wenn du jedoch 2-3 Stunden mit maximaler Anstrengung boulderst, ist die intensive Hangelbrettsession danach fehl am Platz.

Einige weitere Tipps, die wir dir geben möchten, betreffen deine allgemeine Einstellung zum Training. Dies halten wir für sehr wichtig. Als Hilfestellung können dazu einige Fragen dienen, die du dir vor dem Beginn deines Trainings – jenseits von Wiederholungszahl und Übungsform – stellen solltest:

(Tabelle auf der folgenden Seite)

Einführung ins effektive Klettertraining

empfehlenswerte Einstellung	problematische Einstellung
Ich gehe respektvoll mit meinem Körper um und akzeptiere, dass er einzigartig ist und ich nicht alles zu 100 % planen kann.	Mein Körper ist eine Maschine, die ich programmieren will und die dann funktionieren muss .
Ich bin auf mein Training fokussiert.	Ich habe viel Stress und trainiere nur, um andere Dinge zu verarbeiten.
Ich bin motiviert und freue mich auf das Training.	Ich bin übermotiviert. Wenn es nicht läuft, werde ich die Brechstange auspacken.
Ich bin gespannt, wie es heute im Training läuft und denke mir oft neue Übungen aus.	Ich bin in meiner Routine gefangen und trainiere nur, weil ich das Gefühl habe, trainieren zu „müssen".
Ich habe einen Plan und weiß, was ich im Training machen werde.	Ich habe keinen Plan und trainiere einfach darauf los.
Ich habe SMARTE Ziele formuliert, die ich im/durch Training erreichen will.	Ich habe keine Ziele, die ich im/durch Training erreichen will.
Nach dem Training gönne ich mir Ruhe und Erholung.	Nach dem Training warten schon die nächsten Belastungen auf mich.

Der Aufbau unseres Buches

Du findest in diesem Buch eine Auswahl verschiedener Möglichkeiten,deine Kraft und dein Kletterkönnen zu trainieren. Der Schwerpunkt liegt dabei auf Kräftigungsübungen aller Art, wobei v.a. im Kapitel „Boulderwand" die gesamte Bandbreite der für dich wichtigen Leistungsanforderungen angesprochen wird. Einleitend beschreiben wir das jeweilige „Trainingsgerät" und welche Kraftarten damit trainiert werden.

Anschließend findest du eine Auswahl an Übungsbeschreibungen, die sich in unserer Trainingsarbeit bewährt haben. Die dort angegebenen Werte für Wiederholungs- und Serienzahl bzw. Pausenlänge sind Erfahrungswerte, mit denen wir in unserem Training häufig arbeiten. Sie sind natürlich individuell abwandelbar und du kannst ebenso in der Trainingsmethode variieren. Die angegebenen Werte erleichtern jedoch einen Einstieg ins Training.

Um die Sache etwas zu vereinfachen, haben wir jede Übung auf einer Skala von "Beginner" (Einsteiger) bis "Pro" (Profi) bewertet. Es geht dabei nicht um dein subjektives Empfinden der Schwierigkeit, sondern um dein Trainingslevel. Generell gehen wir dabei von unseren durchschnittlichen Erfahrungswerten aus. Zuletzt zählt deine individuelle Einschätzung: Als Trainingseinsteiger mit Turnerfahrung kann es durchaus sein, dass du schon Profiübungen z.B. an den Ringen machen kannst.

Übungen, welche deine Explosiv- und Reaktivkraft trainieren, haben wir ebenfalls gekennzeichnet, da unseres Erachtens dieser Übungsform im Klettertraining zu wenig Beachtung geschenkt wird. Das Gleiche gilt für unser komplexes Ausgleichstraining.

Zuletzt noch einige Hinweise für deine Trainingsplanung:

Trainingseinsteiger

Der Schwerpunkt deines Trainings liegt beim Training durch Klettern und Bouldern (ca. 70–80 %). Allgemeine Kraftübungen stellen 20–30 % deiner Trainingsinhalte dar (Verbesserung der Körperspannung und Training des Schultergürtels). Spezifische Kraftübungen wie z.B. isoliertes Fingerkrafttraining bilden die Ausnahme (maximal 5 %). Vergiss nicht, deine Nicht-Leistungsmuskulatur zu trainieren!

Fortgeschrittene

Wenn du als Fortgeschrittener bereits mit Trainingsplänen arbeitest, sollten deine Trainingsinhalte, deine Trainingsmethoden und deine Trainingsumfänge über das Jahr gesehen systematisch variieren (Periodisierung). Generell lässt sich jedoch sagen, dass der Anteil der spezifischen Kraftübungen zunimmt (10–20 %). Dies geht auf Kosten der allgemeine Kraftübungen (Reduktion auf ebenfalls 10–20 %). Ein Ausgleichstraining (Training der Nicht-Leistungsmuskulatur) ist dabei weiterhin Pflicht! Mindestens 60 % der Trainingsinhalte liegen beim Training durch Klettern und Bouldern.

Trainingsprofis

Als Trainingsprofi arbeitest du meist mit Trainingsplänen und meist auch einem Trainer. Dieser übernimmt in Absprache mit dir die individuelle Trainingsplanung. Schwerpunkt ist das Training deiner verbliebenen Schwächen aufgrund differenzierter Stärken-Schwächen-Profile. Hochintensive, spezifische Krafttrainingsmethoden wie z.B. das Explosivkrafttraining am Hangelbrett können zeitweise bis zu 40 % deiner Trainingsinhalte ausmachen. Dennoch solltest du auch hier immer mehr als die Hälfte deines Trainings durch Klettern und Bouldern absolvieren.

Gimme Kraft!

Eure Trainer
Patrick und Dicki

Nähere Infos zu unseren Workshops erhältst du unter coaches@gimmekraft.com.

adidas
Mayan Smith-Gobat | The Marble Cathedral, Chile Sam Bié

»I think power is really important. But it's not the only thing you need. It can represent something like 50 %, the other 50 % are technique, the quality of climbing, like the feeling and coordination. It's a big mix, maybe it's a bit less than 50 %. But you have to have power. If you don't have power it's exactly like if you don't have technique. If you have power and no technique then you can't climb really hard, too. And if you have technique and no power it's really limitless. The past year I trained pretty much because I understood that power is a big part of climbing, technique also, but I found my way. And it's really hard to find your way in this domain.
I do a lot of training exercises like campusboard and a lot of fingerpower exercises, too. And I climb a lot with my abs. Power is really important for me for sure.
I'm more interested in short and powerful exercises. So I really search something to elevate my power. I try to do like really hard movements. I prefer to do exercises in one or two moves. My way of training is determined by the fact that it is attuned to bouldering.«

»Kraft ist wirklich wichtig, aber es ist nicht das Einzige, was man braucht. Ich würde sagen, dass es sich aufteilt: 50 % des Kletterkönnens sind durch Kraft bedingt, die anderen 50 % haben mit Technik, Feeling und Koordination zu tun. Es ist also ein ziemlicher Mix. Vielleicht macht Kraft auch weniger als 50 % aus, aber sie ist auf jeden Fall unerlässlich. Keine Kraft zu haben ist ungefähr so wie keine Technik zu haben. Wenn man hingegen nur Kraft aber keine Technik hat, kann man auch nicht wirklich schwer klettern. Im letzten Jahr habe ich ziemlich viel trainiert, weil ich draufgekommen bin, wie wichtig Kraft (und auch Technik) ist. Ich glaube diesbezüglich habe ich meinen Weg gefunden und das ist in diesem Bereich ganz schön schwer.
Ich trainiere ziemlich oft am Campusboard und mache auch viele Hängeübungen am Griffbrett. Beim Klettern arbeite ich auch ziemlich viel mit meiner Bauchmuskulatur.
Kraft zu haben ist wirklich wichtig für mich, da bin ich sicher, deswegen bin ich auch eher an kurzen und harten Übungen interessiert, weil ich dadurch das Gefühl habe, meine Kraft steigern zu können. Ich versuche dabei wirklich harte Moves zu machen und am besten gefallen mir Übungen mit 1-2 Zügen. Meine Art zu trainieren hat natürlich damit zu tun, dass sie aufs Bouldern abgestimmt ist.«

Mélissa Le Nevé

Mélissa Le Nevé, Jahrgang 1989, ist Dauergast in Boulder-Weltcup-Finalrunden, tickte aber draußen auch schon schwer über der Bouldermatte, mit diversen Linien bis 8a+. Wenngleich sie es nicht als ihre Stärke ansieht, konnte sie sich auch mit Seil gut festhalten, zum Beispiel in „Fifty words for pump" 8c/c+.

Mélissa Le Nevé, (born 1989) is a regular in the finals of boulder-worldcups and has also taken her abilities to the rock where she ticked hard lines up to 8a+. Although she wouldn't consider it her favourite she also knows how to hold on when roped-up, for example in "Fifty words for pump" (8c/+).

Introduction to effective climbing-training

In the following introduction we will, in all shortness, provide the most important information on "effective climbing-training". A complete introduction to this very complex subject would have exceeded the scope of this work.

Anyway, a detailed introduction and all references can be downloaded as a free PDF version at: www.gimmekraft.de. The required password is 159Guellich.

Basic principles of (climbing) strength-training

When performing a strength-training with the goal of a long-term improvement of performance (at least this is our philosophy) in a specific kind of sport, various basic principles need to be taken into consideration.

Now following we want to enumerate the most important ones and also provide some short explanation if necessary.

Train multifacetedely!

The strength-protocol of climbing leaves you no choice if you want to improve your performance: you constantly have to keep an eye on the progression of your maximum-power, your power-endurance and your explosive-power.

Furthermore your musculature needs isometric, concentric and eccentric concentric stress-stimulation.

Train diversively!

Training is a process of adaption: Your body is trying to facilitate its movements. That's why it is important to vary your exercises in order to confront your body with an unforseen task. Only this will result in an effective training-stimulus.

If you keep on reeling off the same exercises over and over again, your increase in strength will stagnate. How often you change your training contents and for how long you hold on to a specific exercise depends on the individual person.

Basically a change of training exercises is recommended after 6 weeks, at least.

Train complexly!

To train "complexly" means that all your exercises should be closely linked to a more or less complex target-movement. This will help you adapt your power-development more efficiently to your sport-specific movements. Muscles work in so called "slings". "Slings" are muscle-groups that are aligned to each other to provide an economic process of movements (Tittel, 1994). In climbing the so called upper extremety flexor slings take an active part. In case of strength-training for climbing we always recommend exercises where your own body-weight functions as resistance. In most cases these exercises offer many degrees of freedom and therefore allow a better transfer to climbing-specific exercises where the body also constitutes your resistance. We think that the training on weight-machines is only partly suitable (i.e. in the case of a specific training after injuries). The internationally highly respected trainings-scientists Zatsiorsky & Kraemer (2008) express it as follows: "The biggest limitation of many weight-machines may be that they were developed to train muscles and not movements. That's why they do not play a center role for the training of climbers/athletes."

Train with sufficient resistance

As mentioned before in "Basic principles of strength-training" it is important that you choose the stress-stimuli wisely. If you can easily do 20 pull-ups, training with 2 x 12 repetitions presents only a very low stress-stimulus. You need to work with extra weights. Conversely, getting started with a new, hard exercise (e.g. one-arm pull-ups or dead-hangs) is only possible if you reduce the resistance by easing the weight of your body. There are two possibilities for an accurate dosage:

The **weight-vest** is perfect when you are moving explosively on multiple levels (e.g. exercises with rings). The weight-belt is attached to the body's center and is therefore the right choice for bouldering and climbing.

Weight-vest or weight-belt as extra-weight.

Dumbbells as extra-weight are recommendable for hanging-exercises of slowly/swiftly performed exercises on one level (f.e. pulling and lock-off exercises on the pull-up bar or deadhangs).

Dumbbells as extra-weight

Your **partner** can be a great support during many exercises. Some of the exercises can even be done with your partner acting as strength-resistance. Of course, this is only possible if you don't train alone and if your partner possesses the strength and sensitivity needed to provide the optimum dosage.

Introduction to effective climbing-training

Strength-relief or resistance with the support of a partner.

Relief through **pulley** only works with exercises that are not performed on multiple levels (i.e. pull-ups). Sometimes the required equipment for a proper mounting is not available.

Relief through pulley

Train progressively!

We have already mentioned that training can be understood as a process of adaption. If you don't increase your physical challenge steadily and with the right dosage, your performance will stagnate.

Train your non-performance musculature!

By "non-performance musculature" we mean those muscles that are only peripherically activated during sport-specific movements. In case of climbing these are the supporting-sling of the upperbody as well as some muscles attached to the shoulder-blade. A weakness of those muscles can lead to muscular disbalances and discomfort based on overstress.

Therefore, the goal should always be a balanced development of the performance and non-performance musculature. This will support a long-term and injury-free training-setup and also encourages functional and economic movements. 5–20 % of your strength-training (depending on the phase of training) should be reserved for those muscle-groups. Even during this kind of training you should think about sufficient resistance.

Perform a certain amount of your training under stressful conditions!

The target-sport of climbing includes various requirements which produce stress: You are pumped dry and way over your last piece of protection or the sun is setting on your last day of the trip and you got only one more try in your boulder-project. To deal well with conditions like these needs to be trained.
It is very helpful if you simulate these stress-conditions when you train (time-pressure, climbing when pumped dry, competition situations...). This works best when you train by climbing. Some specific exercises can be found in the chapter "Bouldering wall".

Basics for a training-session

Before you get started you should consider some basics for the design of your session.

1) Warm-up!

Preferably, you activate your cardiovascular-system by easy running (general warm-up). If you don't have the possibility to do that you can choose some gymnastic exercises instead (jumping-jack, one/two legged jumping up and down...). Then you should briefly stretch your muscles – stretching time 8 seconds maximum. Afterwards you should start with low-to-middle-intensity strengthening exercises (e.g. short lock-offs on the bouldering-wall or lock-offs in various pull-up positions) followed by coordinative exercises from gymnastics (i.e. cartwheel, jumproll...).

Depending on the training-session you may finally start the specific warm-up with low to middle intensity on the climbing- or bouldering-wall.

2) Techniques over power!

An important guideline when planning your training-session: Exercises that require a high amount of technical skill should always be trained before exercises that stress your fitness. In other words: Boulder- and climbing-training always before pure strength-training.

Complex forms of training (i.e. simulation of a competition), where many performance-factors are trained simultaneously, always come before less complex forms of training (i.e. system-bouldering).

3) No explosive- or reactive-strength exercises in a state of fatigue!

Trainings-pros should be careful not to plan a session which includes explosive or reactive-strength exercises in a state of fatigue. These exercises do not necessarily have to be done at the very beginning of your session, but, on the other hand, you shouldn't feel too burned out before you do them. A boulder-session at the beginning of the workout which doesn't exhaust you too much is no problem. A 2–3 hours full-on session followed by an intensive hang-board training on the other hand might be the wrong approach.

Further training-tips that we want to provide concern your basic attitude towards training. We consider this as a very important factor. The following questions that you should ask yourself before training – regardless of the number of repetitions or type of exercise – can be helpful:

(see next page)

Recommended attitude	Problematic attitude
I treat my body respectfully and accept its uniqueness and furthermore that I cannot plan everything by 100 %.	My body is a machine that I want to program and which has to function.
I am focused on my training.	I have a lot of stress and only train to compensate for other things.
I am motivated and looking forward to training.	I am over-motivated. If it doesn't work according to plan I will use the sledgehammer.
I am curious if I will train well and I always try to invent new exercises.	I am trapped in my routine and I only train when I have the feeling that I have to.
I have a plan and know what I want in my today's training-session.	I have no plan and just train.
I have smart goals which I want to accomplish in/by training.	I have no goals that I want to accomplish by training.
When I have finished my training I will try to rest and relax.	After the training there's more stress waiting for me.

Setup of this book

In this book you will find a selection of various possibilities to train your strength and climbing-ability. The main focus lies on strengthening-exercises of all kind. In the chapter "Bouldering-wall" the complete range of performance-requirements that are important for you is being addressed. Preluding, we describe the respective training-devices and which forms of strength are being trained.

Afterwards you will find a selection of descriptions of exercises which have proven to be successful during our work of training. The given numbers for repetitions and sets resp. duration or rests are experience-based. Of course they can be adapted individually as well as the training method. The numbers are meant to make it easier for you to get started with your training.

To simplify matters we have graded each exercise on a scale from "Beginner" to "Pro". It's not about your subjective feeling of difficulty but your level of training. In general we refer to our training experience. Last but not least it's your individual estimation: if you are a beginner in training for climbing but a former gymnast, it is possible for you to do exercises for pros e.g. on the (gymnastic) rings. Exercises which train explosive or reactive strength are also being marked because we think that this form of training doesn't get proper attention. It's the same with our balanced strength training.

Lastly, some information for planning your training:

Training for beginners

The main focus of your training is climbing and bouldering (70–80 %). General strength-exercises represent 20–30 % of your training-contents (improvement of body-tension and training of the shoulder-belt). Specific strength-exercises (i.e. isolated finger-strength training) are the exception (5 %). Don't forget to train your non-performance musculature!

Training for advanced

If you are advanced and used to working with training-plans, your content, methods and amount of training should vary systematically throughout the year (periodisation). Generally speaking, the amount of specific strength-exercises is increasing (10–20 %) while the basic strengthening-exercises are being reduced to 10–20 %. A compensatory training for the non-performance musculature remains mandatory! 60 % of the training-content are represented by climbing and bouldering.

Training for pros

As a pro you always work with training plans and mostly also with a trainer who is – in agreement with you – responsible for the individual planning of your training. The focus is on training based on your deficits according to sophisticated strength-weakness-profiles. High-intensive, specific methods, e.g. explosive training on the hangboard, can represent up to 40 % of your training content. Nevertheless, more than half of your training should be spent climbing and bouldering.

Gimme Kraft!

Your trainers
Patrick und Dicki

To get infos about our workshops please email to coaches@gimmekraft.com.

free admission
STEALTH
RUBBER
"always helping the poor"

THE BRAVE™

»Beweglichkeit ist sehr wichtig für das Klettern. Der untere Körper spielt ebenfalls eine große Rolle. Um wirklich beweglich zu sein, muss man sehr oft trainieren. Ich trainiere normalerweise jeden Tag morgens und abends eine halbe Stunde. Deutsche sind so steif wie ein Stück Holz, sie sollten öfter mal Stretching machen.«

»Flexibility is very important for climbing and the lower body plays an important role as well. To become flexible you have to train very often. I usually train two times a day for 30 minutes, in the morning and in the evening.
Germans are stiff as a woodstick, they need to do more stretching.«

Tsukuru Hori

Tsukuru Hori (Jahrgang 1989) kann man trotz seines jungen Alters zu Recht als Mister Miyagi des Boulderns bezeichnen. Seine Fähigkeit sich geschickt zu bewegen (und das an noch so schlechten Griffen) verhalf ihm als erstem Japaner bereits zu einem Weltcupsieg im Bouldern und auch zu so manch beeindruckender Begehung am Fels. Da fällt ein 8b-Boulder auch schon mal im Flash!

Tsukuru Hori (born 1989) can be called the Mister Miyagi of bouldering. His ability to move smoothly, even when the holds get really bad, has brought him a Boulder Worldcup-victory as well as some impressive sends such as a flash of an 8b-boulder on rock.

Boulderwand

1

Die Boulderwand ist das entscheidende und wichtigste „Trainingsgerät", um sportartspezifisch zu trainieren. Das Training findet direkt beim Klettern statt, man trainiert also stets komplex (Kraft und Koordination werden gleichzeitig trainiert). Vor 20 Jahren folterten sich die Kletterer in staubigen Kammern, und betrachteten den Schmerz als Schwäche, die den Körper verlässt. Heutzutage macht man in lichtdurchfluteten Bouldertempeln beim gemütlichen Surren der Espressomaschine seine ersten Klettererfahrungen. Die einstige Tischlerplatte, auf die Holzleisten aufgeschraubt wurden, die man greifen und treten musste, ist längst überholt. Eine moderne Boulderhalle beinhaltet heutzutage eine fast unüberschaubare Vielfalt an Griffen aus Kunstharz, dreidimensionale Strukturen aus sandbeschichteten Elementen, sowie freistehende Pilze mit Möglichkeiten zum Topout. Bei der einen Variante muss man sich keine Boulder mehr ausdenken, die Boulder werden farblich, nach verschiedenen Schwierigkeitsgraden sortiert, frisch serviert.

Bei der zweiten Variante der Boulderwand handelt es sich um eine systematisch mit Griffen bestückte Wand (d.h. nach bestimmten Grifftypen geordnet, die in identischen Abständen eingeschraubt werden), die ein zielgerichtetes Training bestimmter Kletterzüge (z.B. frontale Blockierzüge oder Schulterzüge) und Griffarten (z.B. Fingerlöcher oder Sloper) ermöglicht.

Klettern an der Boulderwand ist für jedes Alter und jeden Leistungsstand geeignet. Die meiste Zeit trainiert man, indem man versucht, verschieden schwere Boulder zu klettern. Es gibt jedoch auch Übungen, bei denen es nicht darauf ankommt, einen Boulder zu schaffen, sondern eine zielgerichtete Übung an der Boulderwand auszuführen. Wir stellen euch beide Varianten vor.

Bei den Übungsbeschreibungen differenzieren wir zwischen leichten, mittelschweren und schweren Bouldern. Leichte Boulder solltest du sehr sicher und ohne größere Anstrengung klettern können, d.h. auch mehrmals hintereinander ohne Pause. Mittelschwere Boulder solltest du zu einem Großteil deiner Versuche (7–9 von 10) klettern können. Im Normalfall brauchst du für einen erneuten Versuch eine kurze Pause (ca. 2 Min.). Schwere Boulder dagegen schaffst du nur bei einigen deiner Versuche (1–3 von 10). Alles muss optimal laufen und du benötigst für einen erneuten Versuch eine ausgiebige Pause (5–10 Min.).

Bedenke, dass je nach Übung ein leichter Boulder zu einem mittelschweren und ein mittelschwerer zu einem schweren Boulder werden kann. Gewöhnst du dich an ein Boulderproblem, ist es genau umgekehrt.

Bouldering-Wall

The bouldering-wall is the most important "training-tool" for a climbing-specific training. This sort of training consists of climbing which means that you always train in a complex way: power and coordination are trained simultaneously. 20 years ago climbers would have tortured themselves in dusty basement-chambers and considered pain "a weakness leaving the body".

Nowadays climbers make their first climbing experiences in boulder-temples that are bathed in light with the espresso-machine buzzing in the background. The old woodpanels with the screwed on wood-crimps or riverstones are obsolete. A modern bouldering-gym includes a vast variety of different holdshapes made of synthetic resin, three dimensional volumes whose surfaces are specifically sandblasted. On free-standing boulder-mushrooms you can topout like on real blocks.

In some gyms you don't even have to "invent" boulders yourself because they are already set in different colours, each corresponding to a certain level of difficulty.

A different concept is the system-wall: the holds are set systematically according to holdtypes which are mounted in always identical distances from each other enabling climbers to train specific moves (frontal moves or shoulder moves) as well as hold-types (pockets or crimps).

Training on a boulderwall is suitable for all ages and ability-levels. You train by trying different boulders of various difficulty. Sometimes you don't just climb boulders but you perform certain exercises on the wall which prove effective as well. We will introduce you to both variants.

In our description of the exercises we distinguish between "easy" and "semi-hard" boulders. "Easy" boulders should be possible for you in a light-hearted manner without too much effort, which means you should be able to climb them multiple times in a row without a break.

"Semi-hard" boulders should be possible within 50–70 % of your attempts with a short break of 2 minutes in between. A boulder is considered "hard" when you are able to do it only 2 or 3 times out of 10 attempts. Everything has to be perfect for a successful go and you need a 5–10 minute break between attempts. Depending on the exercises a "hard" boulder can become a "semi-hard" one and a "semi-hard" can become an "easy" one.

1

Café Kraft
nboss

Kontrast

Für diese Übung suchst du dir Boulder im für dich mittelschweren Bereich. Die Boulder sollten für dich keine zwingend dynamischen Züge aufweisen.

Methode: Suche dir ca. 8 Boulder und klettere jeden Boulder jeweils 3-mal. Einmal möglichst statisch (d.h. möglichst ohne Schwung), das andere Mal sehr dynamisch, d.h. mit möglichst viel Schwung. Beim dritten Versuch versuchst du beide Varianten in für dich optimaler Weise zu kombinieren.

Achte dabei besonders auf deine Atmung. Sie sollte in Harmonie mit deinem Kletterrhythmus sein (leichte Züge und Ruhepunkte: Normale bis tiefe Atmung; schwere Züge unter Körperspannung: Pressatmung mit betontem Ausatmen).Vermeide unbedingt eine durchgehend flache Atmung oder ein Anhalten der Luft über längere Zeit!

Pick a semi-hard boulder without any forcing dynamic moves.

Method: Pick 8 boulders and climb each one for 3 times, the first time as statically as possible, the other time very dynamically. For the third time try to combine them in the best possible way.

Be aware of your breathing. It should be in harmony with your climbing rhythm. Easy moves and resting points: normal to deep brea-thing.
Hard moves with a lot of body-tension: pressed breathing with emphatic exhaling. Avoid a continuously flat breathing or holding your breath over a longer period of time!

! Diese Übung ist eine Art „Multitool". Du verbesserst damit sowohl deine Blockierkraft und Körperspannung (statische Variante), als auch dein Bewegungsgefühl und deine Technik (dynamische und kombinierte Variante).

This exercise is sort of a "multi-tool": you improve body-tension and lock-off power as well as your feeling for movement and your technique (during the dynamic – static combination).

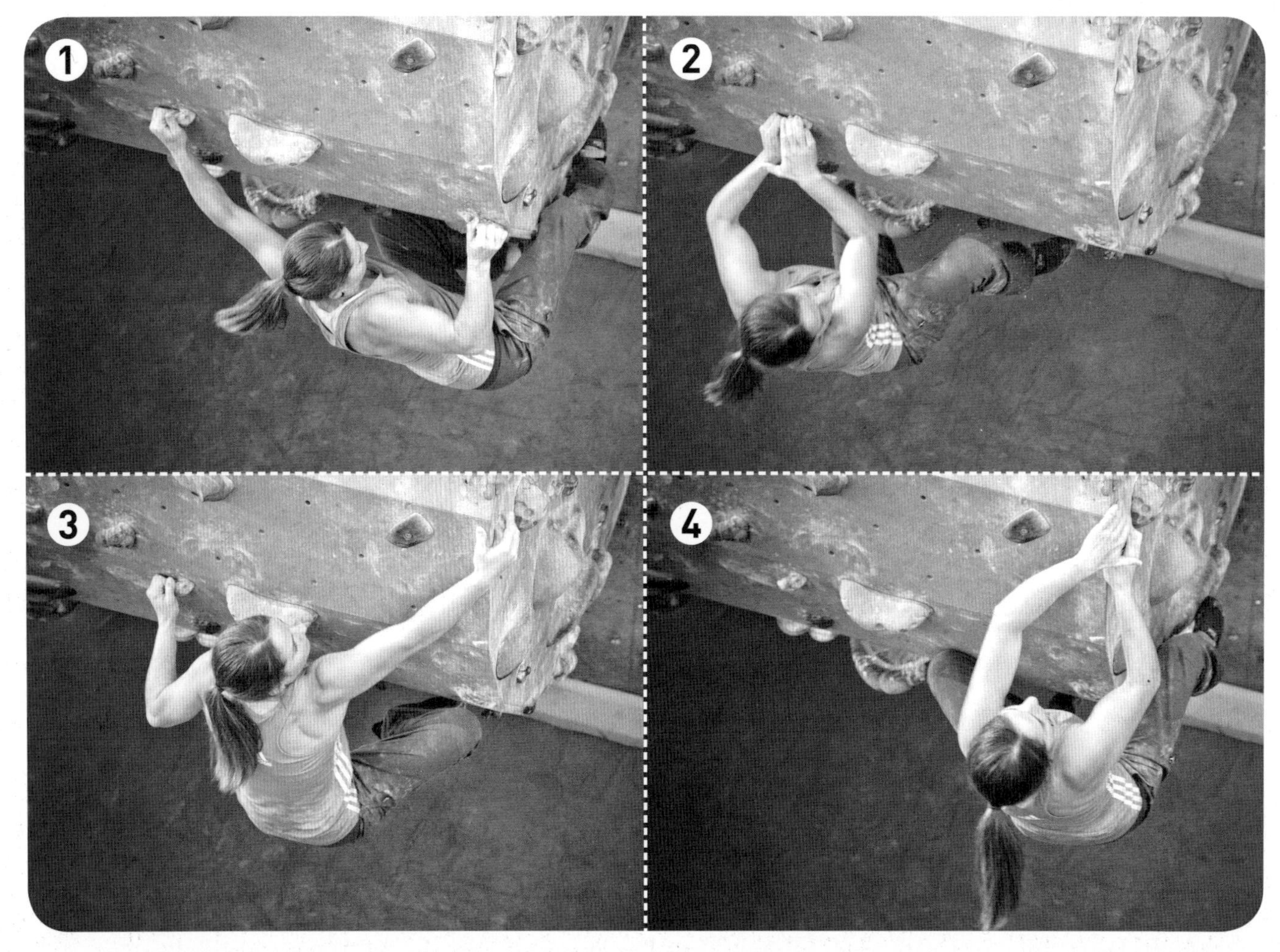
1
2
3
4

Match it!

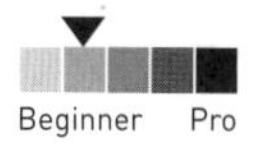

Während du einen für dich mittelschweren Boulder kletterst, musst du jeden Griff mit beiden Händen greifen.

Methode: Suche dir ca. 4 für dich mittelschwere Boulder und klettere diese 2–3-mal in der beschriebenen Art und Weise.

Pick a semi-hard boulder and try to match hands on every hold.

Method: Pick 4 semi-hard boulders and climb each one 2–3 times.

Das Dazugreifen zu einem Griff („Matchen") ist eine Technik, die beim Bouldern oft zum Einsatz kommt. Beim Klettern kann es notwendig sein zu einem Griff dazu zu greifen, um eine stabile Körperposition zu erlangen, bzw. den nächsten Zug überhaupt machen zu können.

Matching hands on a hold is a technique often used in bouldering. Sometimes this is needed to reach a stable body-position or to be able to perform the next move.

1
2
3
4

Tic Tac Toe

Suche dir 2 mittelgute Griffe an der systematisch eingeschraubten Boulderwand. Du solltest ca. 20 Sekunden frei an diesen Griffen hängen können. Die Griffe sollten schulterbreit auseinander liegen und keinen großen Positivgrad (Incut) aufweisen.

Hänge dich an die Griffe und versuche zuerst mit dem linken Fuß erst (weit) unten links, dann in Rumpfhöhe, dann „Überkopf" einen Tritt zu angeln. Dann wiederholst du das Ganze mit dem rechten Fuß.

Methode: Mache pro Seite im Wechsel (linker und rechter Fuß) 3–4 Wiederholungen am Stück (1 Satz). Absolviere 2–3 Sätze, dazwischen 2 Min. Pause.

Pick two medium holds on the system-wall on which you should be able to hang without feet for at least 20 seconds. The distance between the holds should be at shoulder-width and they shouldn't be incut by shape.

Hang on the holds and try to "fish" a hold with your left foot. First one far down at the left side, then one at hip-height and then one overhead. Switch feet and repeat right-sided.

Method: Perform one switch per side (left and right foot) and make 3–4 repetitions (= 1 set). Perform 2–3 sets with 2 minutes rest in between.

Tic Tac Toe verbessert deine kletterspezifische Körperspannung und deine Präzision beim Antreten. Ganz nebenbei geht diese Übung durch das lange Fixieren der Griffe auch gehörig auf die Unterarme im Sinne einer Verbesserung der laktaziden Ausdauer.

Tic Tac Toe improves your climbing specific body-tension as well as your foot-precision. Because of the length of the gripping-time it also works your underarms in terms of improvement of the lactacid-endurance level.

Diagonale

Du hältst dich an einer Dachkante an einem guten Griff mit beiden Armen fest. Nun suchst du dir einen (weit entfernten) Tritt mit dem rechten Fuß. Dann löst du die rechte Hand vom Griff und hältst 3–5 Sekunden diese Position (Spannung halten!).

Dann machst du dasselbe mit dem linken Fuß und Lösen der linken Hand.

Methode: Wechsle 5–7 mal von rechts nach links. Dann machst du 2 Min. Pause und wiederholst die Übung. Du kannst bei der Übungsausführung den Arm lang machen oder blockiert halten (Variante).

Hang from a good hold on a roof-edge with both your arms. Pick a far away hold for your right foot. Let go of the right hand and hold this position for 3–5 seconds.

Switch foot and hand afterwards.

Method: Switch 5–7 times from right to left. Take a 2 minute rest and repeat the exercise. During the exercise you can either lock off or vary by hanging in the straight arm.

Diese Übung verbessert vor allem deine Körperspannung.

This exercise improves your body tension.

Pumpgun

Suche dir 3–5 Boulderquergänge, die du meist schaffen solltest und versuche, diese hintereinander, mit 2–3 Min. Pause dazwischen, zu klettern.

Bei einem Fehlversuch machst du eine kurze Pause und fängst dann wieder von vorne an.

Pick 3–5 traverses which you should be able to do most of the time and climb them one after another with 2–3 minutes rest in between.

After a failed attempt, take a short rest and start from the beginning.

! Hierbei trainierst du vor allem deine Kraftausdauer und die Fähigkeit, deine Koordination und den Kletterfluss trotz gepumpter Unterarme aufrecht zu erhalten. Dies ist vor allem für Kletterrouten, bei denen du im Durchstieg wegen gepumpter Unterarme ans Limit kommst, von entscheidender Bedeutung.

This is a really good way to train power-endurance as well as the ability to maintain your coordination during the climbing-process even when you are pumped. This is especially important for climbing routes where you reach your limit because of overacidification.

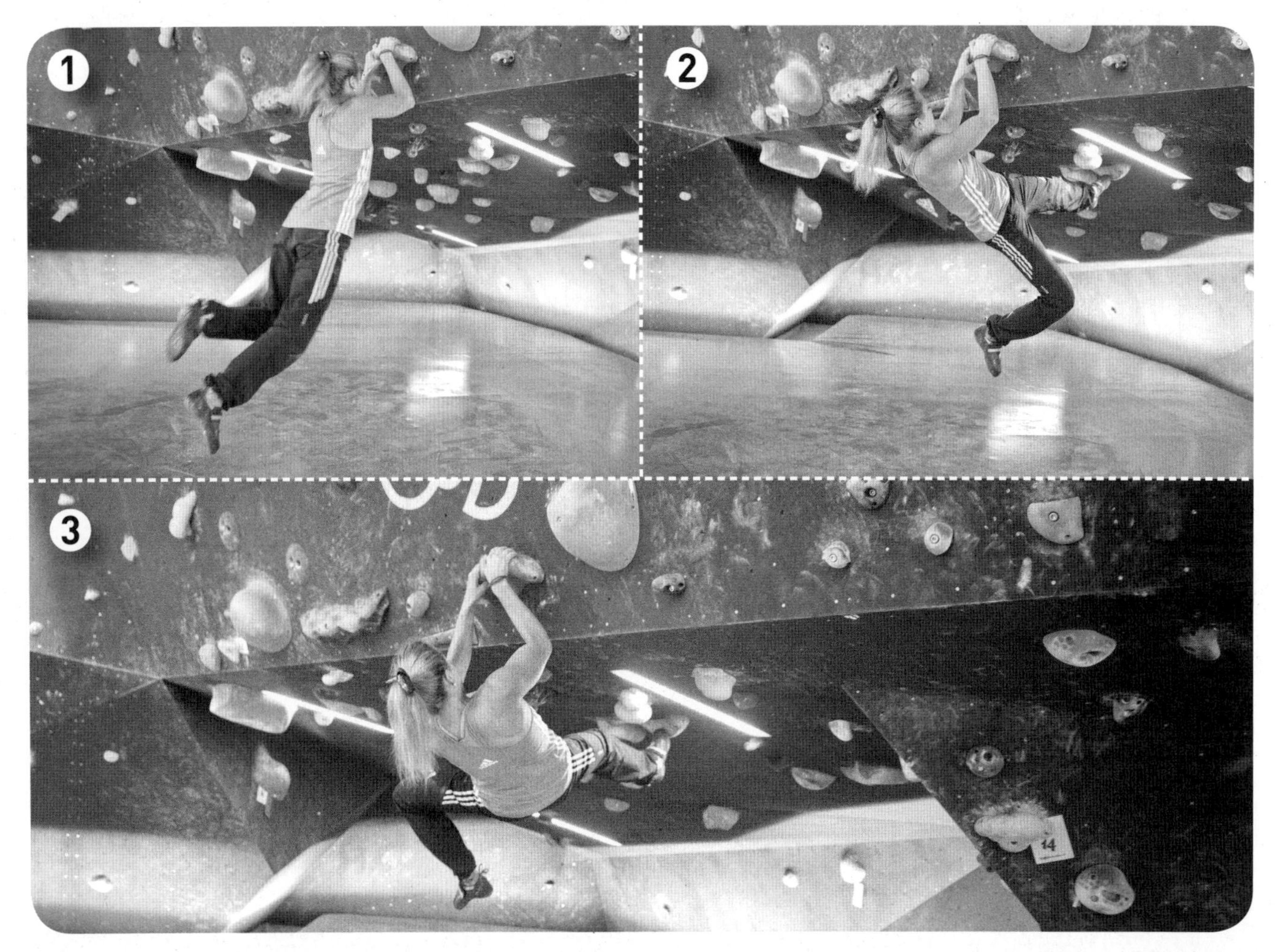

Get 'em!

Du benötigst 2 mäßig gute Griffe an einer Dachkante (am besten stumpfe Henkel). Dann springst du die beiden Griffe aus kurzer Distanz an. Lasse deine Arme stets ein wenig gebeugt und versuche, einen vorher definierten Tritt im Dach zu angeln. Dieser sollte möglichst weit von der Dachkante entfernt sein. Wenn du den Tritt mit einem Fuß geangelt hast, wechsle den Fuß, ohne dass sich deine Füße vom Tritt lösen. Hast du das geschafft, lässt du deinen Körper wieder hinaus schwingen. Nun mit dem anderen Fuß beginnen. Löse 2–4-mal die Füße und hole dir wieder den Tritt!

Methode: Es sind 2 Varianten möglich: 1) Du definierst dir einen positiven Tritt (mit Kante) und übst das „Ziehen" mit der Fußspitze, um Körperspannung aufzubauen. 2) Du verwendest einen eher stumpfen Tritt und versuchst mit dosiertem Druck auf den Tritt Körperspannung aufzubauen. Übe jede Variante 2–3-mal und mache dazwischen 2 Min. Pause.

Pick 2 medium-good holds at a roof-edge (blunt jugs are the best). Then jump onto the holds from a short distance. Make sure that your arms remain a little bent during the catch and try to fish a previously defined foothold in the roof. The foothold should be as far from the roof-edge as possible. Once you catch the hold with one foot, switch feet but be cautious that your feet don't come off the hold while you do that. When you have managed the switch, let your body swing out. Now start with your other foot. Let your feet come off 2–4 times and fish the hold again.

Method: Figure out two variants: 1) Define a positive foothold (one that has a good edge) to practice "pulling" with the top of your foot and to build up body-tension. 2) Choose a flatter hold. Try to build up body-tension by putting a controlled pressure onto the hold. Perform each variant 2–3 times and take a 2 minute rest between each set.

! Diese Übung ist perfekt, um deine Körperspannung für stark überhängende Routen oder Dächer zu trainieren.

This exercise is perfect to train your body tension for severly overhanging routes as well as roofs.

Hangaround

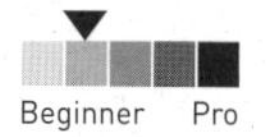

Du benötigst für dich mittelschwere Boulder im mittel bis stark überhängenden Gelände. Die Boulder sollten nur Griffe beinhalten, an denen du dich freihängend festhalten kannst.

Wenn du einen Zug gemacht hast, lässt du die Füße kommen und verharrst ca. 3 Sek. frei hängend. Dann stellst du deine Füße wieder auf die Tritte.

Methode: Suche dir ca. 4 für dich mittelschwere Boulder und klettere diese 2–3mal in der beschriebenen Art und Weise.

Requirements are a few semi-hard boulders in slightly to very overhanging terrain. The boulders should only include holds on which you can hang footless.

After each move let go of your feet and stay in this freehanging position for 3 seconds. Then put your feet back on the holds.

Method: Pick 4 semi-hard boulders and climb them 2–3 times each in the described manner.

! Mit dieser Übung verbesserst du vor allem die Kraftausdauer deiner Unterarmmuskulatur. Das wiederholte „Angeln" der Tritte trainiert zudem deine Bewegungspräzision unter Körperspannung.

This exercise works well to improve the power-endurance of your lower arms. By "fishing" the holds you also improve your foot-precision and your body tension.

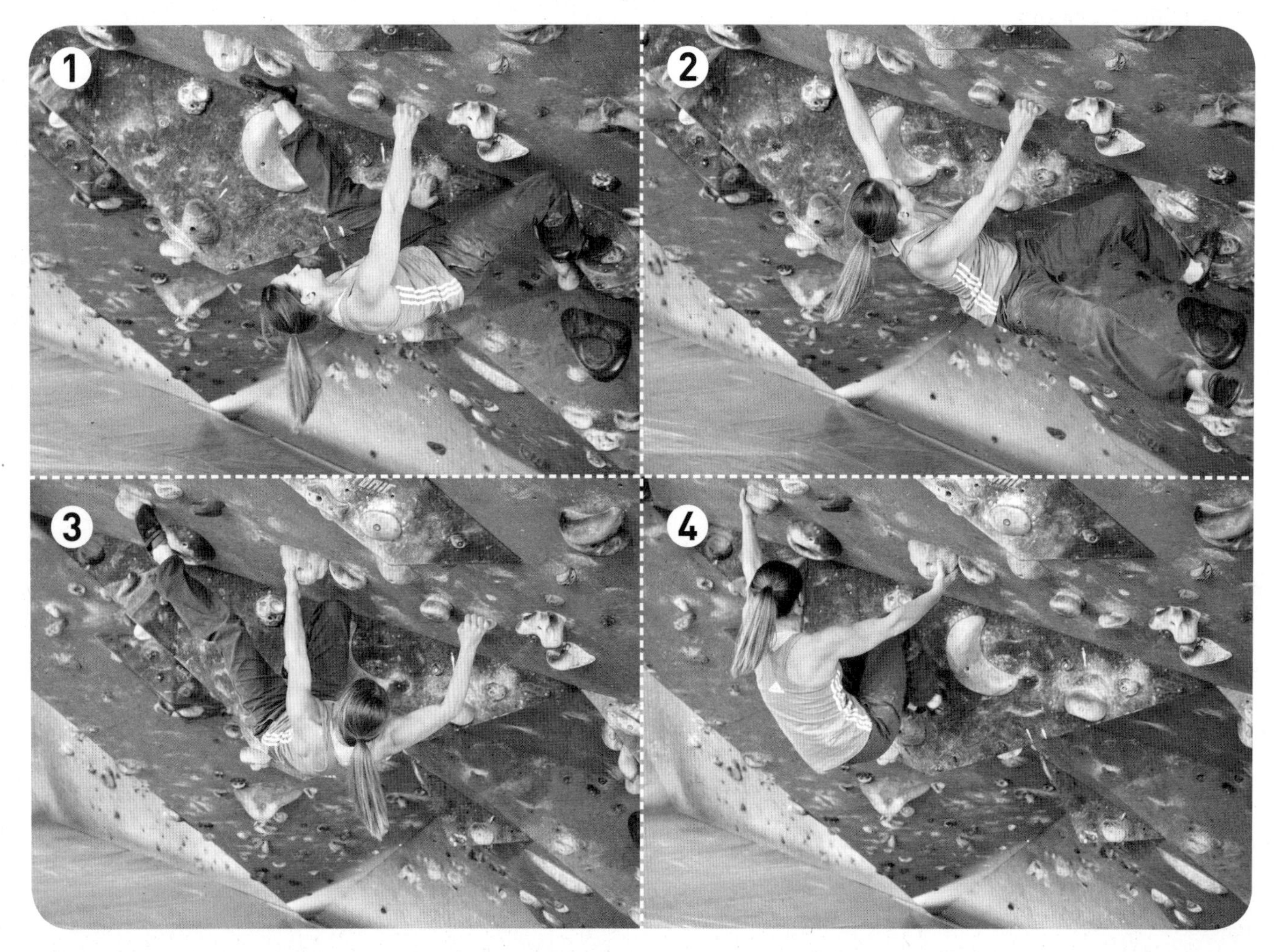
1
2
3
4

Feet Forward

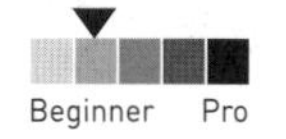

Du suchst dir mittelschwere Boulder im stark überhängenden Gelände (oder im Dach).

Vor jedem Weitergreifen versuchst du, den nächsten Griff zuerst mit dem Fuß zu berühren, bevor du ihn greifst. Das kann durchaus zu ungewohnten „Verrenkungen" führen.

Methode: Klettere 1–3 Boulder mehrmals auf diese Art und Weise. Versuche, die Füße beim Berühren der Griffe abzuwechseln.

Pick a semi-hard boulder in a strongly overhanging part of the wall (or in a roof) and try to touch every next hold with your foot before you grip it.

Be aware that this may lead to unaccustomed contortions.

Method: Climb 1–3 boulders in this manner. Try to switch feet when you touch the holds.

! Mit dieser Übung verbesserst du zum einen deine Orientierungsfähigkeit im dreidimensionalen Raum und zum anderen wird besonders deine Körperspannung trainiert.

This improves your ability to orientate yourself while climbing. Also your body-tension is being trained specifically.

1
2
3
4

360°

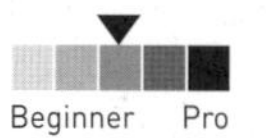

Du suchst dir einen für dich leichten Boulder im Dach und versuchst, dich mehrfach 360° zu drehen, während du um den Boulder kletterst. Variiere dabei auch in der Drehrichtung!

Methode: Wiederhole diese Übung an einem Boulder mehrere Male und achte darauf, dass du versuchst, dich an verschiedenen Stellen im Boulder zu drehen.

Pick a boulder in a roof that is easy for you and try to rotate 360 degrees multiple times while you climb the boulder. Try to vary the direction of rotation.

Method: Repeat this a few times and try to spin in different locations.

Mit dieser Übung verbesserst du zum einen deine Orientierungsfähigkeit im dreidimensionalen Raum und zum anderen wird besonders deine Körperspannung trainiert.

Good for 3D-orientation as well as for improving body tension.

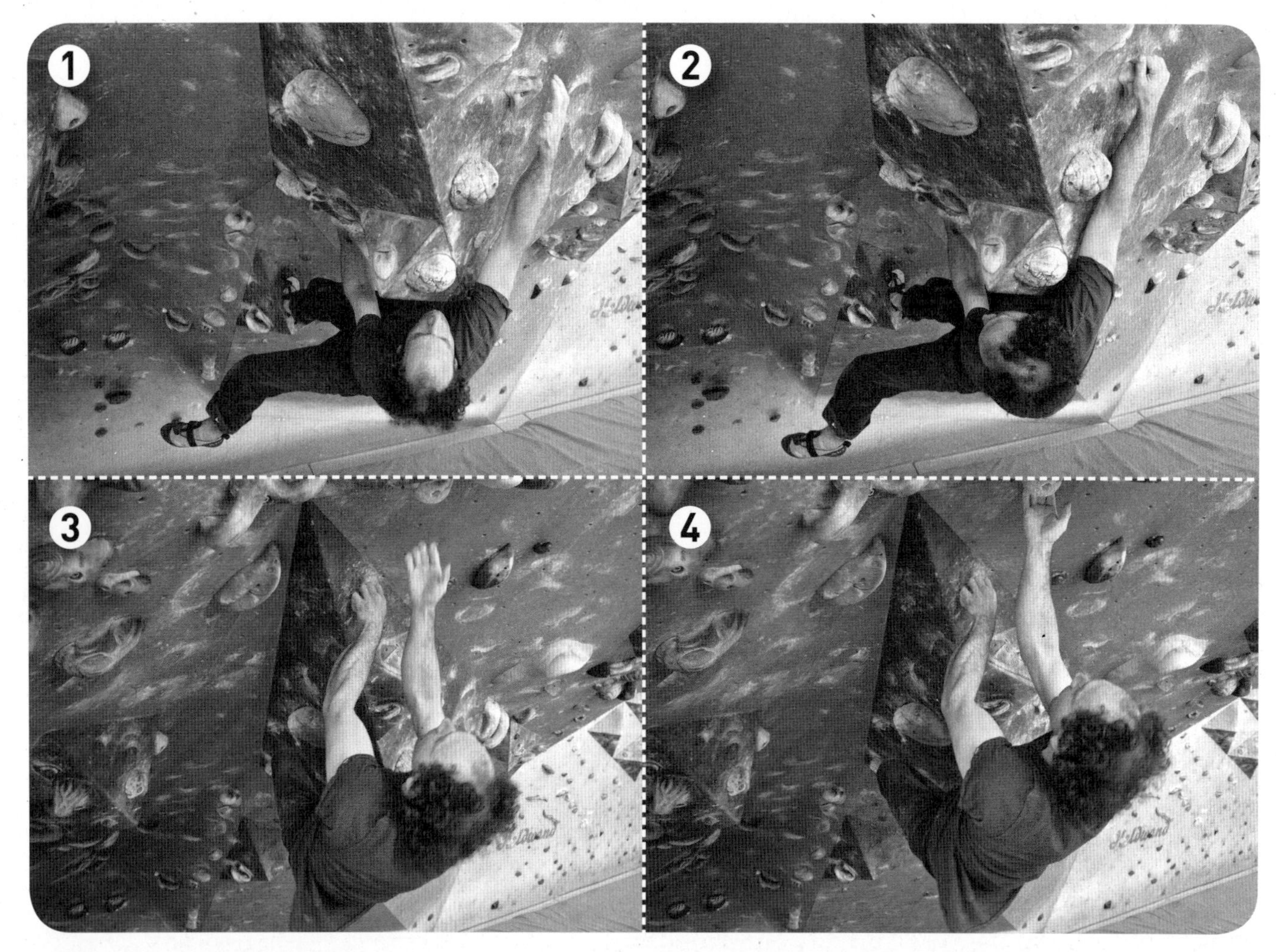

Freezing

Du benötigst für dich mittelschwere Boulder im leicht bis stark überhängenden Gelände. Die Boulder sollten für dich keine zwingenden dynamischen Züge aufweisen.

Bei jedem Kletterzug hältst du in der Endposition kurz vor Erreichen des nächsten Griffes 2–3 Sekunden die Spannung – du frierst quasi kurz ein – erst dann greifst du zu.

Methode: Suche dir ca. 4 für dich mittelschweren Boulder und klettere diese 2–3-mal in der beschriebenen Art und Weise.

Find a semi-hard boulder in slightly to very overhanging terrain. The boulder should not include any moves that are compellingly dynamic.

At the end of each move keep the tension – "freeze" for 2–3 seconds before you grab the next hold.

Method: Pick 4 semi-hard boulders and climb them 2–3 times in the described manner.

! Mit dieser Übung verbesserst du zum einen deine Blockierkraft, zum anderen wird deine Körperspannung trainiert.

This improves your lock-off power as well as your body tension.

Systembouldern

Zum Systembouldern benötigst du eine Boulderwand mit systematisch eingeschraubten Griffen. Das Ziel ist es, Boulder mit jeweils einer Griffart (Sloper, Fingerlöcher, Leisten etc.) bzw. einer Klettertechnik (frontal blockieren, eingedreht blockieren, Schulterzüge etc.) systematisch zu trainieren. Damit eignet sich das Systembouldern vor allem zum Training deiner Schwächen, da man diese oft unbewusst beim normalen Bouldertraining vernachlässigt. Die Boulder sollten so geschraubt sein, dass jeder Systemboulder 6–10 Kletterzüge lang ist und jeder Zug die gleiche Griff- oder Zugart beinhaltet.

Methode: Du benötigst für diese Übung für dich mittelschwere Boulder. Klettere jeden Boulder 2–3 mal (1 mal Klettern ist ein Satz) und mache 2–3 Min. Pause zwischen den Sätzen. Insgesamt kannst du dir 5–6 verschiedene Systemboulder definieren.

Ähnliche Varianten:

Systemwandtraining: Suche dir jeweils einen Kletterzug mit einer spezifischen Griffart und/oder Grundtechnik (Eindrehen, frontal Blockieren, Schulterzug, Untergriff, etc.). Du führst diesen Zug aus, hältst aber kurz vor Erreichen des Zielgriffs 2–3 Sek. die Spannung und gehst dann in die Ausgangsposition zurück. Dann die andere Seite. Pro Seite je 3 Wiederholungen (1 Satz) im Wechsel. Mache 2–3 Sätze mit 2–3 Min. Pause dazwischen. Insgesamt kannst du dir 5–6 verschiedene Systemzüge definieren.

HIT-Training: Die von Eric Hörst (2008) entwickelte Methode (Hypergravity Isolation Training) betont das Training der Unterarmmuskulatur. Die Griffe sollten exakt gleich sein und identische Abstände haben. Du startest mit dem untersten Paar und kletterst so lange auf und ab, bis du dich nicht mehr halten kannst. Dabei ist die Tritt- und Körperposition nebensächlich. Nach 8–10 Wiederholungen je Hand (15–20 gesamt) sollten dir die Hände aufgehen, um einen optimalen Reiz für einen Kraftzuwachs zu erzielen. Schaffst du bequem mehr, verschlechtere die Griffe und verwende ggf. ein moderates Zusatzgewicht (2 bis max. 5 kg). Fortgeschrittene können eine zweite Serie mit 3 Min. Pause dazwischen absolvieren.
Du kannst mehrere Griffvarianten trainieren (Zangengriffe, Fingerlöcher, offene Leisten, Leisten mit Incut und Sloper). Beginne immer mit deiner größten Schwäche.

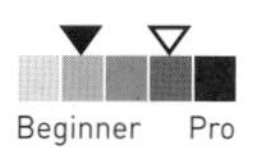

For system-bouldering you need a bouldering-wall with systematically mounted holds. The idea is to systematically train on a boulder with specific kind of holds (slopers, pockets, crimps), respectively a specific climbing-technique (frontal lock-off, shoulder moves etc.). System-bouldering is ideal for training your deficits because they are usually being ignored during normal training. A system-boulder should be 6–10 moves long and every move should include the same hold and/or type of movement.

Method: For this exercise you need medium-hard boulders. Climb each boulder 2–3 times (1 boulder is 1 set) and take a 2–3 minute rest in between sets. You can define up to 5–6 different system-boulders.

Similar variants:

System-wall: Pick a move with a specific hold-type and/or basic technique (undercling, shoulder move...). Perform the move but hold the tension for 2–3 seconds before you grab the finishing hold, then resume starting position. Switch to the other side afterwards. Perform 3 repetitions per side (1 set) and switch between sides. 2–3 sets with a 2–3 minute rest in between sets. Ideally you define 5–6 different system-moves.

HIT-Training: The Hypergravity Isolation Training-method was developed by Eric Hörst in 2008 and focuses on training the musculature of your lower arms. The holds should be exactly the same and should also have the same distance from each other. Start with the lowest pair and climb up and down until you can't hold on to anymore. Footholds and body-position are not important.

After 8–10 repetitions per hand (15–20 total) your hands should open up to reach the optimum stimulus for an increase of strength. If you feel comfortable doing more repetitions you can pick holds that are worse and/or use some additional weight (2–5 kg maximum). For the advanced we recommend to add a second series with 3 minutes rest in between. You can also train various grips (pinches, pockets, open crimps, incuts, slopers). Always start with your biggest deficit.

! Diese Übungsformen trainieren deine Maximalkraft auf eine sehr kletterspezifische Art. Ebenso wird deine intermuskuläre Koordination perfekt trainiert: Die für verschiedene Kletterbewegungen wichtigen Muskelschlingen werden optimal angesprochen und deine Unterarmmuskulatur wird sehr variabel beansprucht.

This type of exercise trains your max-power in a very climbing-specific way. Your intramuscular coordination is improved as well. The specific muscle-slings that are important for climbing will be activated and the musculature of your lower arms is being stressed variably.

Under Pressure

Für diese Übung suchst du dir Boulder im für dich mittelschweren Bereich. Die Boulder sollten mindestens 5 Züge aufweisen. Nun setzt du dir ein sehr knappes Zeitlimit und versuchst, alle Boulder innerhalb dieses Zeitlimits zu klettern. Wenn du aus einem Boulder fällst, musst du ihn so lange probieren, bis du ihn schaffst.
Wichtig: Teile dir die Reihenfolge der Boulder richtig ein. Dabei helfen dir folgende Fragen:

- Welcher Boulder liegt mir, welcher nicht?
- Welcher Boulder erfordert hohe Präzision?
- Welche Boulder sind für den Einstieg ideal?

Methode: Für diese Übung solltest du eine Stoppuhr benutzen.

1. Runde: Suche Dir ca. 4 Boulder und versuche, alle zusammen so schnell wie möglich zu klettern. Dabei kommt es nicht auf das schnelle Klettern der Boulder an, sondern mehr auf eine taktische Pauseneinteilung. Teile dir dabei deine Erholungspausen nach deinem Gefühl ein und stoppe deine Gesamtzeit. Hast du alle Boulder geklettert, legst du eine lange Pause (mind. 15 Min.) ein, bis du dich wieder topfit fühlst.

2. Runde: Klettere die Boulder erneut (evtl. in einer anderen Reihenfolge) und versuche, deine Zeit zu unterbieten. Stoppe nun auch deine Pausenzeiten und versuche herauszufinden, wie viel Erholungszeit du zwischen den einzelnen Versuchen tatsächlich brauchst. Geht auch noch eine dritte Runde?

Diese Übung kannst du auch als Wettkampf mit deinen Freunden durchführen. Dabei lernst du gut, mit taktischen Maßnahmen umzugehen.

Pick various semi-hard boulders with at least 5 moves. Set a certain time-limit and try to climb boulders in time. If you fail at one boulder try it until you succeed.

Important: Find a good solution for the right oder. The following questions help:

- Which boulder suits me and which doesn't?

- Which boulder requires high precision?
- Which boulder is the best to start with?

Method: Use a stopwatch.

1st round: Pick 4 boulders and try to climb them as fast as possible. Time the breaks according to your feeling and take their overall-time. When you are done with all boulders take a 15 minute rest until you feel fully recovered.

2nd round: Climb the boulders again and try to beat your previous time. Take the time you took for your breaks and try to find out how much recovery-time you need in between attempts. Will there be a 3rd round?

You can also perform this exercise in form of a "competition" with your friends.

Diese Übung eignet sich optimal für eine Verbesserung deiner Kraftausdauer, da du dich in einer Runde nie völlig erholen kannst. Ebenso verbesserst du dein Gefühl für Erholungszeiten. Wenn du Boulderwettkämpfe kletterst, ist diese Übung Pflichtprogramm, da du unter Druckbedingungen bouldern musst.

This exercise is perfect for the improvement of your power-endurance, because you can never fully recover within one round. You also get a better understanding of how much recovery you need. This exercise is also mandatory for learning how to handle pressure in competitions.

1
2
3
4

Monkey Business

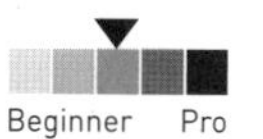

Du benötigst für dich leichte Boulder im stark überhängenden Gelände. Versuche, die Boulder ohne Füße, also hangelnd, durchzuklettern.

Wichtig: Versuche beim Hangeln deine Schultern stabil zu halten (also die Schulter nach „unten" zu ziehen) und möglichst wenig im gestreckten Arm zu hängen.

Methode: Suche dir 3–4 Boulder und hangle diese je 1mal möglichst statisch und 1mal möglichst dynamisch (also schnell) durch. Zwischen den Hangeldurchgängen machst du mindestens 2 Min. Pause.

What you need for this exercise are easy boulders on very overhanging terrain. Try to climb the boulders without using your feet.

Important note: Always keep your shoulders stable (try to "pull" down your shoulder) and hang on straight arms as little as possible.

Method: Pick 3–4 boulders and climb them as statically as you can for the first time, the second time as dynamically as possible. Take a 2 minute rest in between.

! Mit dieser Übung trainierst du vor allem deine Blockierkraft (statische Variante) und deine Explosivkraft (dynamische Variante). Bei komplizierteren Hangelzügen wird zudem deine Koordination verbessert.

This exercise is a great workout for your lock-off power (static version) and your explosive power (dynamic version). During complex moves your coordination will be trained as well.

Speed

Für diese Übung benötigst du einen Partner. Findet für euch mittelschwere Boulder (Neigung egal) und versucht zuerst, diese möglichst schnell zu klettern (2–3 Versuche). Ein Partner stoppt dabei die Zeit. Dann wird gewechselt.

Nun besprecht ihr zusammen, was euch bei euren Versuchen aufgefallen ist (Was ist dem Kletterer und was ist dem „Beobachter" aufgefallen?):

- Hat eure Präzision gelitten? Seid ihr z.B. von den Tritten oder Griffen abge rutscht?
- Ist eure Atmung flach geworden oder habt ihr sogar die Luft angehalten?

Klettert die Boulder erneut und versucht nun, einen für euch optimalen Kompromiss zwischen Schnelligkeit und Präzision zu finden, ohne dabei in eine flache Atmung oder ein Luftanhalten zu verfallen.

Wichtig:

- Achtet besonders auf die präzise Fußarbeit. Schnelles Umtreten und Tritte angeln erfordert hohe Konzentration!
- Schätzt direkt nach dem Versuch eure Zeit. Ein gutes Schätzvermögen ist für Wettkämpfe sehr wichtig!

Methode:

Klettert 3–5 Boulder und macht dazwischen so viel Pause, dass ihr immer vollständig erholt in die nächste Runde starten könnt (also mind. 3 Min.).

Denkt auch an euren Austausch über eure Körperwahrnehmung.

You need a partner for this exercise. Try to find a boulder that is moderate for both of you with adequate steepness and try to climb them as fast as you can (2–3 tries). Your partner takes the time. Then switch.

Hereafter you discuss what you have noticed during your attempts (what did the climber notice and what the "observer"?):

- Did you lose precision? Did you slip from footholds or holds?
- Did you have a shallow breathing or did you even stop breathing?

Climb the boulder again and try to find a compromise between speed and precision, without having a shallow breathing und without stopping to breathe.

Important:

- Try to focus on precise footwork. Quick switching of the feet as well as "fishing" holds requires a lot of concentration!
- Directly after your attempt, try to estimate how much time you needed. Good estimation ability thereof is very important for competitions!

Method:

Climb 3–5 boulders and take long breaks in between so that you are fully recovered for the next round (minimum 3 minutes break).

Don't forget to discuss your body perception.

! Mit dieser Übung verbessert ihr eure Bewegungspräzision unter Zeitdruck und lernt die für euch optimale Balance zwischen Schnelligkeit und Präzision zu finden. Dies ist eine grundlegende Voraussetzung, um sich in der Kletterschwierigkeit zu steigern. Ebenso verbessert ihr eure Fähigkeit die Zeit zu schätzen, was für Wettkämpfe sehr wichtig ist.

This exercise helps to improve the precision of your movements while under time-pressure plus it teaches you to climb faster. These are very important requirements when you want to improve in terms of difficulty.

EDELRID

»When I realized that training on the Campus- or Fingerboard did not really motivate me, I came to the conclusion that I had to design my training differently. That's why I have tried to apply my max-training to the bouldering wall. This motivates me a lot more than abstract finger-training on a board.
When I train on the bouldering wall I basically do it like this: I figure out 6 to 7 problems with different difficulties. I start with the easiest one and work my way through to the hardest one. I always use only small screw-ons as footholds to train my body-tension. The combination of hard moves and bad footholds allows me to train the whole muscle-chain from fingertips to toes. That's how I do my first pyramid of 7 boulders. Then I try one really hard problem and after that I do the pyramid once again in different direction from the hardest boulder to the easiest. During one session I climb up to 20 boulders, some of them multiple times to gain a lot of "redpoint-power". For me power is a feeling of direct contact to the rock: when I can do anything with a hold I want and keep my feet right there on the wall by body-tension - that's the way it should feel. Just like a low-gravity day!«

»Ich bin irgendwann zu einer eigenen Trainingsgestaltung gelangt, als ich gemerkt habe, dass das Training am Campus- oder Fingerboard nicht so motivierend ist. Deswegen habe ich versucht ein Maximalkrafttraining an die Boulderwand zu bringen, weil für mich das Training an einem Boulder motivierender ist als dieses reine Fingerkrafttraining am Campusboard. Prinzipiell habe ich mir eine Anzahl von sechs bis sieben Bouldern überlegt, mit gestaffelten Schwierigkeitsgraden. Ich fange mit dem leichtesten an und hangele mich schrittweise zum schwersten. Dabei versuche ich immer auf den kleinen Spaxtritten zu stehen. Dadurch muss ich extrem viel Körperspannung einsetzen und trainiere die komplette Muskelkette von den Fingern bis zu den Zehen.
Auf diese Weise klettere ich dann die erste Pyramide bis zur Zahl 7, probiere meistens noch ein schweres Projekt, und klettere dann dieselben Boulder in umgekehrter Reihenfolge nochmal mit kontrollierter und nicht eingedrehter Position. Im Prinzip klettere ich in einer Trainingseinheit bis zu 20 Boulder, oft immer wieder dieselben, und dadurch habe ich viel Durchstiegspower. Kraft ist für mich, wenn ich merke, dass ich eine direkte Verbindung zum Felsen habe. Das zeigt sich dadurch, dass ich mit dem Griff, den ich in der Hand habe, alles machen kann und meine Füße aufgrund meiner kompletten Körperspannung an der Wand bleiben. Es hält einfach richtig gut! Eben ein low-gravity-day!«

Fabian Christof

Fabian Christof (Jahrgang 1979) spielt seit einer Dekade in der ersten Liga des fränkischen High End Kletterns mit. Ob beim Matratzenklettern oder am scharfen Ende des Hanfseils: Die kleinen Griffe sind Fabis beste Freunde. Seine schwersten Ticks sind der Boulder „Montecore" 8c, und die Route 8c+ „Shangrila".

Fabian Christof (born 1979) has been on the forefront of the Frankenjura high-end climbing for more than a decade, be it climbing on the sharp end of the hemp-rope or above pads. Small crimps are Fabian's best friends and his proudest ticks include the boulder "Montecore" (8c) and the route "Shangri-La" (8c+).

Klimmzugstange

2

Klettern und Klimmzüge gehören zusammen wie der 100-Meter-Lauf zur Leichtathletik. Doch die Zeit der Sportkletterpioniere mit Trainingssessions, bestehend aus endlosen Klimmzugserien, hat sich im Zuge der Trainingsevolution des Kletterns gewandelt.

So gesehen ist die Klimmzugstange heutzutage ein universelles Trainingsgerät, mit dem verschiedenartige Übungsformen praktiziert werden. Vor allem, was das Training der Zugschlinge betrifft, die Klimmzugstange bleibt ein Muss in jedem Trainingsplan.

Wichtig dabei ist, die Stange so zu befestigen, dass genügend Platz nach oben ist, um in den Stütz gehen zu können.

Die Klimmzugstange kann zur Verbesserung folgender Fähigkeiten dienen:

· statische Blockierkraft

· dynamische (konzentrische) Kraft

· Explosivkraft

· Körperspannung

The pull-up is attached to climbing as much as the 100-meters-sprint is to track and field athletics. But times have changed since the true pioneers performed endless pull-up sessions to stay fit. The evolution of training has since moved on.

Nowadays the pull-up bar is an universal training-device on which many different exercises can be performed. Especially in terms of training the upper extremety flexor sling the pull-up bar is a must in every training-schedule. When mounting your bar make sure that there is enough room above it so you can perform an upward-press.

The pull-up bar can lead to improvement of the following abilities:

· static lock-off power

· dynamic (concentric) power

· explosive power

· body tension

Towel Pull-Ups

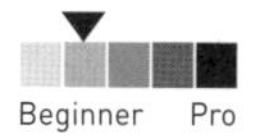

Für diese Übung hängst du ein Handtuch über die Stange. Du stellst dich nicht frontal darunter, sondern quer.

Greife nun die beiden Handtuchenden und ziehe deinen Kopf seitlich über die Klimmzugstange. Dann lässt du dich wieder in die Ausgangsposition zurück und ziehst nun deinen Kopf auf der anderen Seite über die Stange.

Methode: Mache 8–12 Wiedeholungen rechts und links im Wechsel, davon 2-3 Sätze mit 2–3 Min. Pause dazwischen.

Put a towel over the bar. Do not stand below frontally but sideways.

Grab both towel ends and pull your head over the pull-up bar laterally. Then lower yourself into the starting position and pull your head up to the other side of the bar.

Method: Perform 8–12 repetitions alternating left and right. 2–3 sets with a 2–3 minute rest in between sets.

! Dies ist eine Übung bei der deine Zugschlinge trainiert wird. Durch die spezielle Griffposition (Handtuchgriff) sind jedoch auch Muskelanteile beteiligt, die beim normalen Klimmzug nicht erreicht werden. Deine Handgelenke werden eher wie beim Sinterklettern beansprucht.

This is an exercise which trains your upper extremety flexor sling. The use of the towel offers different grip-positions which leads to an activation of muscle-areas which can't be stimulated during a normal pull-up. Your wrists are being stressed in a manner similar to climbing tufas.

1
2
1a
2a

Icecreammaker

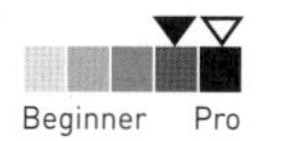

Den Icecreammaker könnte man als Vorübung für die Hangwaage bezeichnen, was er in gewisser Weise auch ist, aber er hat auch als eigenständige Übung durchaus seine Berechtigung.
Du hängst dich im Langhang an die Klimmzugstange, nun ziehst du dich nach oben, bis deine Arme ca. 90° angewinkelt sind und schiebst gleichzeitig deinen Oberkörper in eine waagerechte Position, wobei deine Unterschenkel nach unten hängen. Deine Hände sollten in der Endstellung ungefähr auf Hüfthöhe sein, wie bei der Hangwaage, nur mit dem Unterschied, dass deine Arme und Beine nicht gestreckt sind. Jetzt lässt du dich wieder zurück in den Langhang und fängst von vorne an.

Methode: 8–10 Icecreammaker = 1 Satz, mache 4–6 Sätze, dazwischen eine Pause von ca. 2 Min.

Varianten:
Mit gestreckten Beinen
Mit gestreckten Armen

The "Icecream-maker" could indeed be called a pre-exercise to the front-lever (which it is in fact) but on the other hand it has also enough justification to exist as an independent exercise. Start by hanging straight down from the pull-up bar (= longhang). Pull upwards until your arms are bent 90 degrees and shift your upper body in a level position with your lower legs hanging down. In the final position your hand should be at waist-height similar to performing a front-lever. The difference is that your arms and legs are not straightened. Then lower to resume the starting position (= longhang).

Method: 8–10 Icecream-makers = 1 set. Perform 4–6 sets with a 2-minute rest in between sets.

Variants:

Do the exercise with your legs straightened.

Do the exercise with your arms straightened.

Eine super Körperspannungsübung.

A great exercise to train your body-tension.

1
2

Knees to Elbows

Hänge dich an die Klimmzugstange und ziehe deine Knie in Richtung Ellenbogen hoch, dann wieder zurück in den Langhang. Mache diese Übung langsam und spüre deine Bauchmuskulatur.

Methode: Mache 8–12 Wiederholungen (1 Satz) und 2–3 Sätze mit einer Pause von ca. 2 Min. dazwischen.

Variante:

Du ziehst diagonal erst das linke Knie Richtung rechten Ellenbogen, dann das rechte Knie Richtung linken Ellenbogen.

Get onto the pull-up bar and pull your knees up to your elbows. Lower back into the dead-hang. Perform this exercise slowly and feel your abdominal musculature.

Methode: Perform 8–12 repetitions (1 set) and 2–3 sets with a 2–3 minute rest in between sets.

Variant:

Pull the left knee up diagonally to the right elbow, then the right knee to the left elbow.

! Eine klassische Bauchmuskelübung, allerdings werden diese nicht isoliert trainiert (zusätzlich: Musculus Iliopsoas und Musculus Rectus Femoris). Bei der Variante wird besonders deine seitliche Bauchmuskulatur trainiert.

This is a classical exercise for the abdominals although they are not stressed in an isolateld way. Additionally the Musculus Iliopsoas und Musculus Rectus Femoris are being activated. During this workout especially your lateral abdominal musculature is being trained.

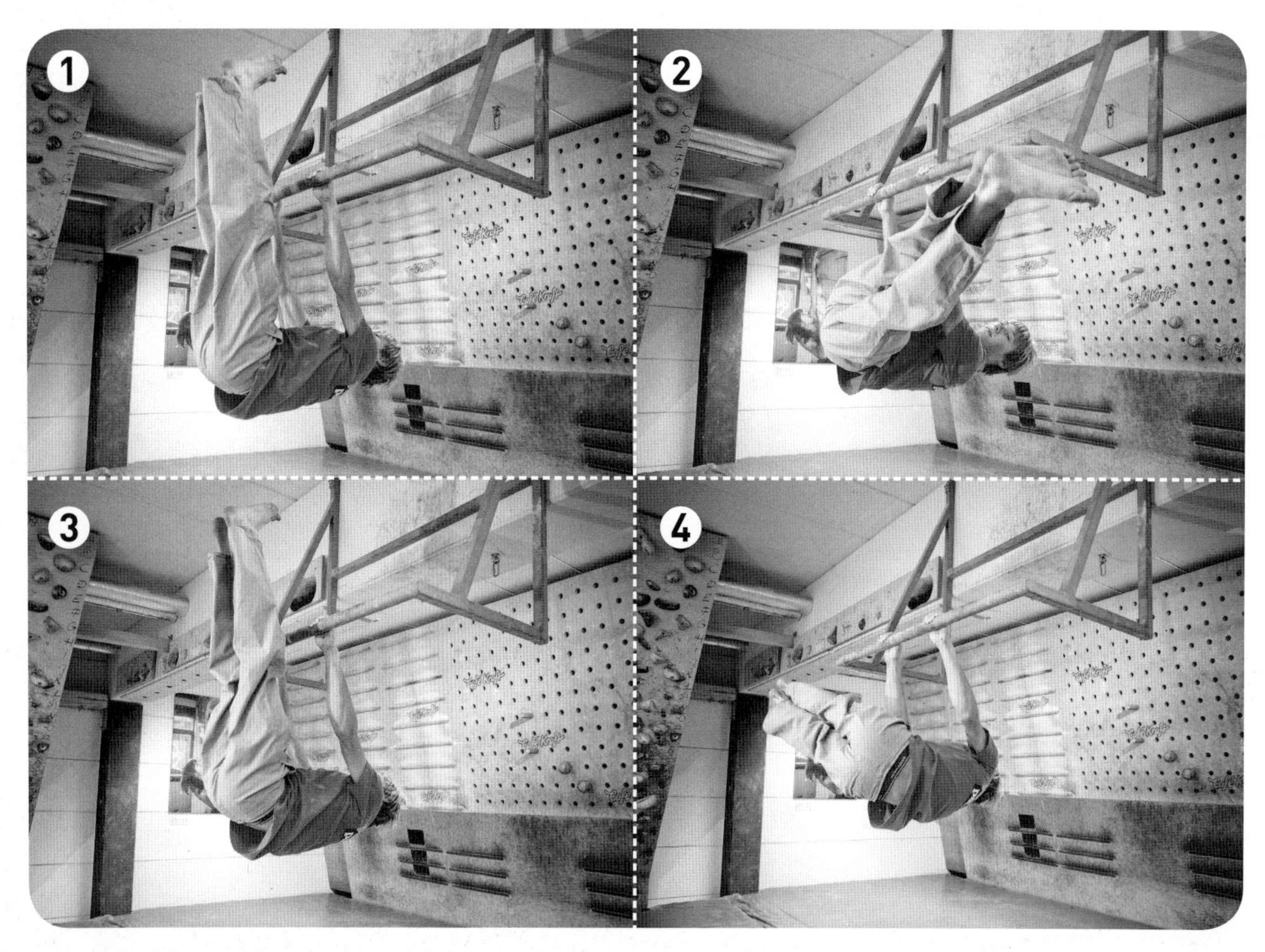
1
2
3
4

Metronom

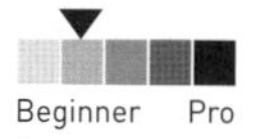

Aus dem Langhang heraus ziehst du deine Füße Richtung Klimmzugstange bis dein Rumpf in der Waagrechten liegt (Knie in etwa auf Höhe der Klimmzugstange). Achte darauf, dass dein Rücken bei dieser Übung möglichst gerade bleibt, keinen Buckel machen.

Nun senkst du deine Beine seitlich soweit zur Seite ab, wie es für dich möglich ist und hebst sie dann wieder an. Ohne Stopp in der Ausgangsposition senkst du sie nun zur anderen Seite.

Methode: Mache 8–12 Wiederholungen im Wechsel (1 Satz). Insgesamt 2–3 Sätze, die von einer 1–2 Min. langen Pause unterbrochen sind.

Starting from deadhang-position you pull your feet up to the pull-up bar until your torso is level (your knees are more or less at the same height as the pull-up bar). Make sure your back is straightened and not hunched.

Lower your legs sideways as much as possible and lift them up again. Without stopping at the starting position you lower them to the other side.

Method: Perform 8–12 repetitions while switching sides (1 set). Perform 2–3 sets with a 1–2 minute rest in between sets.

! Bei dieser Übung wird die Muskulatur des Körperkerns, v.a. deine seitliche Bauchmuskulatur, trainiert. Sie ist auch gut für deine Rumpfbeweglichkeit.

This exercise trains the musculature of the body-core especially your lateral abdominal musculature. It also improves your trunk-flexibility.

1
2
3
4

Klimmzugquadrat

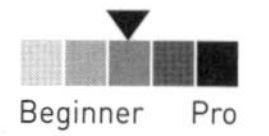

Eine gute Übung, um die Kraft deiner Zugschlinge zu trainieren. Du trainierst hierbei näher an den Bewegungsanforderungen des Kletterns, als beim klassischen Klimmzug.

Hänge dich mit beiden Armen an die Klimmzugstange und ziehe dein Kinn Richtung rechte Hand nach oben. Dort angekommen schiebst du dein Kinn über der Klimmzugstange zur linken Hand. Dann lässt du dich wieder langsam ab, bis deine Ellbogengelenke einen Winkel von 120–140° erreicht haben (siehe Video) und machst das Ganze rückwärts.

Methode: Mache 6–12 Wiederholungen (einmal blockieren und das Kinn über die Stange ziehen) pro Satz, insgesamt 2–4 Sätze mit ca. 2 Min. Pause.

A great exercise to train the strength of your upper extremety flexor sling. This gets you a lot closer to the specific climbing movements demands than a classic pull-up.

Cling to the bar with both hands and move your chin towards your right hand. From there move your chin above the bar to the left hand. Low down until your elbow-joints have reached an angle of 120–140° (see video) and reverse exercise.

Method: Perform 6–12 repetitions (locking off and pulling the chin over the bar) per set. 2–4 sets with a 2 minute rest in between sets.

Diese Übung trainiert vor allem die gesamte Zugschlinge deines Oberkörpers. Dabei wird statische und dynamische Muskelarbeit verrichtet. Übrigens wird auch deine Bauchmuskulatur beansprucht.

This exercise specifically trains the upper extremety flexor sling. The muscles work both in a static and in a dynamic manner and your abdominal musculature is stressed as well.

1
2

Rowing Pull-Ups

Du nimmst in etwa die Position wie beim Metronom ein. Nun ziehst du dich nach oben, als würdest du mit deinen Fußsohlen die Decke berühren wollen. Du ziehst soweit an, bis du mit der Hüfte fast die Stange berührst und lässt dich wieder in den Spitzwinkelstütz ab. Dann das Ganze von vorne.

Wichtig: Achte auf die korrekte Bewegungsausführung (Der Rumpf bleibt während der ganzen Zeit in einer waagrechten Position; die Arme ziehen den Körper vor der Brust nach oben).

Methode: Mache 6–10 Wiederholungen (1 Satz), 2–3 Sätze und dazwischen eine Pause von 2 Min.

Start in the same position as in the Metronom. Pull up as if you wanted to touch the ceiling with your soles. Pull until you almost touch the bar with your hips and lower off into the V-sit. Start all over again.

Important: Be careful to perform this exercise correctly: the torso stays in a level position the whole time while the arms pull the body up in front of the chest.

Method: Perform 6–10 repetitions (1 set). 2–3 sets with a 2 minute rest in between sets.

! Diese Übung trainiert insbesondere deine mittlere Rückenmuskulatur, deinen Schultergürtel und deine Armbeuger. Wie beim Rowing an den Ringen wirkt sie ausgleichend auf Belastungen, die durch einseitige Belastung deiner Zugschlinge beim Klettern entstehen (Training des Rhomboideus Minor und Major).

This exercise especially trains your middle back-musculature, your shoulder-belt and and your arm-flexors. Similar to "rowing" on the rings it has a compensatory effect on the upper extremety flexor sling which has to bear one-sided stress while climbing (training of the Rhomboideus Minor and Maximus).

1
2
3
4

Waving Pull-Ups

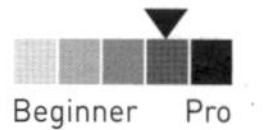

Du führst einen Klimmzug mit einem mittleren Griffabstand aus, ziehst dabei jedoch so explosiv an, dass du dich kurzzeitig im toten Punkt befindest. In diesem Moment klatschst du in die Hände und fängst dich wieder im Hang ab.

Methode: Mache 6–10 Wiederholungen (einmal Umgreifen ist eine Wiederholung) pro Satz und insgesamt 2–3 Sätze mit 3 Min. Pause.

Perform a pull-up with a medium grip stance. Pull explosively to reach the deadpoint. Clap your hands and catch yourself hanging.

Method: Perform 6–10 repeats (1 clap = 1 repetition) per set. 2–3 sets with a 3 minute rest in between sets.

! Diese Übung beansprucht die gesamte Zugschlinge deines Oberkörpers. Dabei wird vor allem deine Schnell- bzw. Explosivkraft trainiert.

This exercise stresses the whole upper extremety flexor sling while improving your fast and explosive power.

1
2
3
3a
4

Conair

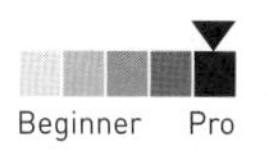

Du führst einen Klimmzug mit einem engen Griff (beiden Hände liegen nah zusammen) aus, ziehst dabei jedoch so explosiv an, dass du dich kurzzeitig im toten Punkt befindest. In diesem Moment greifst du in eine breitere Griffhaltung und fängst dich wieder im Hang ab. Achte darauf, nicht in die ausgestreckten Arme zu fallen (Verletzungsgefahr!).

Nach 3-4-maligem Umgreifen bis zur maximalen Breite, wanderst du wieder schrittweise nach innen.

Methode: Mache 6–10 Wiederholungen (einmal Umgreifen ist eine Wiederholung) pro Satz und insgesamt 2–3 Sätze mit 3 Min. Pause.

Variante (schwer):

Du kombinierst Conair mit Waving Pull-Ups!

Perform a pull up with a close grip-distance. Pull up explosively to reach the deadpoint. Move hands to a wider grip distance and catch yourself hanging. Be careful not to "land" in the straightened arms in order to avoid injuries.

After going wider and wider 3–4 times, move inwards step by step again.

Method: Perform 6–10 repetitions (1 switch of distance = 1 repetition) per set. 2–3 sets with a 3 minute rest in between sets.

Variant (hard):

Combine Conair with Waving Pull-Ups!

❗ Diese Übung beansprucht die gesamte Zugschlinge deines Oberkörpers und trainiert v. a. deine Schnell- bzw. Explosivkraft und verschiedene Anteile deiner Rücken- und Oberarmmuskulatur (je breiter die Griffhaltung, desto mehr wird der Latissimus Dorsi beansprucht, je enger, desto mehr deine Oberarmbeuger).

Conair stresses the whole upper extremety flexor sling while improving your fast and explosive power. Different parts of your arm and torso musculature are being stressed. The wider the grip the more your Latissimus Dorsi is stressed, the closer the grip the more your flexors of the upper arms are trained.

1
2
3
4
1a
2a
3a
4a
5a
6a

Muscle Up

  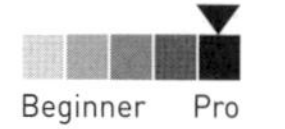

Du hängst dich an die Klimmzugstange und machst einen Klimmzug. Jetzt lässt du dich nicht gleich wieder ab, wie du es gewohnt bist, sondern drehst an diesem Punkt die Hände in die Stützposition (achte darauf, dass du dies mit beiden Händen gleichzeitig tust), indem du die Ellenbogen nach oben und die Schultern nach vorne über die Stange bringst und dich nach oben in den Stütz drückst.

Hört sich schwer an? Ist es auch! Mit dem Muscle Up kann man durchaus Eindruck schinden, wenn man ihn lässig drauf hat.

Methode: Die meisten sind froh, wenn sie überhaupt einen Muscle Up hin bekommen, aber wenn du kannst, mache 4–6 hintereinander, was einem Satz entspricht, 3 Sätze mit einer Pause von ca. 3 Min. dazwischen sind genug.

Variante: Kipping Muscle Up – mit Schwung, was einer Kippbewegung (aus dem Turnsport) ähnelt.

Cling onto the bar and perform a pull-up. Stop! Just up to the point where your chin exceeds the bar this exercise resembles a normal pull-up. From there you don't lower yourself but turn your wrists and then press yourself up and over the bar by moving your shoulders forward and straightening your elbows.

Sounds hard? You bet it is. The Muscle-Up is quite impressive if you know how to do it well.

Method: Most people are satisfied if they can manage just one muscle-up, but if you can, try to perform 4–6 in a row which equals 1 set. 3 sets with a 3 minute rest in between each set should be enough.

Variant: Kipping Muscle Up: Use some momentum which resembles a tilting-motion (known from gymnastics).

! Der Muscle Up ist eine der besten komplexen Kraftübungen, die es gibt. Du trainierst damit deine Zug- und Stützmuskulatur. Das Ganze ist zudem auch koordinativ anspruchsvoll!

The Muscle Up is one of the most complex power-exercises there is. You train both your pulling and your supportive musculature. Besides that it is also coordinatively demanding.

Captain

Beginner Pro

Eine Übung für Fortgeschrittene! Du machst einen Klimmzug im engen Hammergriff und blockierst in der Endstellung an. Dann löst du einen Arm und lässt dich langsam einarmig ab, bis dein Ellenbogenwinkel 90–100° erreicht hat. Nun verharrst Du ca. 2 Sek. in dieser Position und versuchst dann wieder einarmig anzuziehen.

Falls die Übung zu schwer für dich ist, sollte dich dein Trainingspartner beim einarmigen Anziehen leicht unterstützen. Du solltest diese Übung nicht zu oft machen, da sie die Muskelansätze in deinem Ellenbogengelenk ziemlich belastet.

Methode: Mache 1–2 Wiederholungen und 2–3 Sätze pro Arm (ein Satz) mit 3 Min. Pause dazwischen.

This is an exercise for the advanced. Perform a pull-up in the tight hammer-grip and block when you have reached the endposition. Let go one arm and lower off slowly and one-armed until you have reached an elbow-angle of approx. 90–100 degrees. Remain in this position for 2 seconds and then try to pull up one armed again.

If this exercise is too hard for you ask your training-partner for support when you are pulling up. Avoid overdoing this exercise because it's quite stressing for the muscle attachments of your elbow-joint.

Method: Perform 1–2 repetitions and 2–3 sets per arm (1 set) with a 3 minute rest in between.

! Diese Übung trainiert besonders deine maximale Blockierkraft. Das einarmige Ablassen ist ein negativ dynamischer Reiz mit einer besonders hohen Intensität.

This exercise specifically trains your maximum lockoff-power. The one-armed lowering-off is a negative dynamic stimulus with a very high intensity.

»Kraft ist für mich, wenn ich nach abgeschlossenem Training und Wettkämpfvorbereitung merke, dass ich problemlos Leisten halten, aufstellen, weiterziehen und raufblockieren kann – ohne die geringste Schwierigkeit. Am Besten ist für mich Intervalltraining, weil ich da spür', dass was weiter geht. Danach bin ich einfach fix und fertig und hab mehr Ausdauer.
Dafür nehme ich mir einen längeren Boulder, so 15–20 Züge, und kletter' den einmal durch. Dann mach ich eine Pause, eine halbe Minute oder so. Die Pause kann man immer variieren. Wenn der Boulder zu leicht ist, dann mache ich eine kürzere Pause und wenn ich merk, dass der Boulder viel zu leicht ist, dann mach ich ihn einfach schwerer. Das Ganze mach' ich dann acht Mal. Oder ich mach zwei Serien mit je sechs Wiederholungen. Das heißt ich mach sechs Wiederholungen, dann 10–15 Minuten Pause und dann nochmal sechs.«

»Power is realizing that, after a full-on training-session, I can still crimp the holds, lock them off and move on without any hesitation. Interval-training is what suits me best and that's when I'm feeling most of my improvement. It's perfect for my endurance level. And afterwards I am always totally shattered.
I choose a longer boulder, with 15–20 moves, and climb it. Then I rest, maybe half a minute or so but you can always vary the time of the break. If the boulder is easy, my break will be shorter or I will just make the boulder harder if it's way too easy. I either repeat this eight times or do two "sets" with 6 repetitions each with a 10–15 minute break in between.«

Johanna Ernst

Johanna Ernst (Jahrgang 1992) wurde 2009 jüngste Weltmeisterin aller Zeiten im Vorstiegsklettern und holte sich bis dato schon zweimal den Weltcup-Gesamtsieg. Weiterhin konnte sie mehrere Routen im Grad 8c bis hin zu „Open your mind" 8c+ in Santa Linya verbuchen.

Johanna Ernst, born 1992, became the youngest climber ever to win the World Championship in Lead climbing. Since then she has won the overall World Cup two times. On rock she's also cranking hard with ascents such as "Open your mind" (8c+) in Santa Linya.

Gimme Kraft!

Ringe

Die Ringe sind ein klassisches Gerät im Kunstturnen. Das Besondere an ihnen (wie auch beim Slingtrainer) ist die Instabilität durch ihre freie Aufhängung. Dies sorgt für ganz spezielle Trainingsreize, die man mit feststehenden Trainingsgeräten (z.B. einem Barren für Dips) nicht erzielen kann.

Dadurch ergeben sich folgende Vorteile:

Es kommt zu einer (maximalen) Kraftentfaltung unter instabilen Bedingungen. Dadurch sind die Anforderungen realitätsnäher. Auch beim Klettern müssen Kraft und Gleichgewicht miteinander harmonieren.

Es wird die so genannte „Tiefensensibilität" des Körpers gefördert (siehe Slingtrainer), was zu einer Verbesserung deiner muskulären Stabilisierung beim Klettern führt.

Die Rumpfstabilisation als entscheidender Faktor der Kraftübertragung zwischen Ober- und Unterkörper wird in besonderem Maß trainiert. Das kommt deiner Körperspannung zu Gute.

Eine Sache gilt es zu beachten: Durch die Instabilität an den Ringen werden deine Schultern intensiv beansprucht. Das sorgt für einen sehr intensiven Trainingsreiz, birgt aber auch eine gewisse Verletzungsgefahr. Achte auf folgende Dinge:

- Baue das Training langsam steigernd auf
- Trainiere nicht in völlig ermüdetem Zustand.
- Falle nie in die gestreckten Arme.
- Lass dir bei schweren oder für dich neuen Übungen Hilfestellung geben.

Die Aufhängung der Ringe sollte sich in einer Höhe von mindestens 2,30 m befinden, um ein Anstoßen des Kopfes bei Stützübungen zu vermeiden. Der Abstand der Aufhängepunkte sollte 50 cm betragen. Lege in jedem Fall eine Matte unter die Ringe!

Rings

The rings are a classic device in gymnastics. What makes training with them so special is their instability due to their free hanging (as with the sling-trainer). This causes specific training stimuli which can't be realized with regular (non-moving) training-devices.

The advantages are:

A maximum power evolvement under instable conditions which leads to demands that are closer to reality because in climbing strength and balance have to harmonize as well.

The so called "depth-sensibility" of the body is being activated (see sling-trainer) which leads to a improved muscular stabilisation in climbing.

The stabilisation of the trunk ist the decisive factor for the power transmission of lower and upper torso and is being trained specifically which helps your body tension.

Note that the instability of the rings stresses your shoulders intensively. The training-stimuli are intensive but this causes a certain danger of injury, too. When training on the rings, you should consider some important aspects, as following:

- Build up your training slowly and step by step.
- Never train in a condition of fatigue.
- Avoid falling into your straightened arms.
- Ask for support when you try a hard or new exercise.

The mounting of the rings should be in a height of 2,30 m minimum to avoid hitting the head during the press-exercises. The distance between the mounting-points should be 50 cm. Always lay a mat underneath when you train.

1
2

Balance

Nimm eine Liegestützposition in den Ringen ein und lege deine Unterschenkel auf einem Gymnastikball ab.

Du versuchst durch Körperspannung deine Position stabil zu halten, während dich dein Trainingspartner durch dosiertes „Anschubsen" an verschiedenen Körperstellen ständig aus dem Gleichgewicht bringt.

Methode: Versuche dich ca. 30 Sek. in der Liegestützposition zu halten und wechsle dich mit deinem Partner zweimal ab.

Start with a push-up position on the rings and base your lower legs on a gymnastics ball.

Try to maintain a stable position by your body tension while your partner tries to disequilibrate you by dosed pushing in different body-areas.

Method: Try to maintain the push-up position for 30 seconds and switch with your partner 2 times.

! Diese Übung verbessert Deine „Tiefensensibilität", so dass du dich besser stabilisieren kannst. Dies hilft dir auch ein besseres Bewegungsgefühl beim Klettern zu bekommen. Bei dieser Übung handelt es sich um eine Kombination aus Koordinations- und Krafttraining, was auch als „functional-training" bezeichnet wird.

This exercise improves your depth-sensibility and lets you stabilize more effectively. This helps you to get a better feeling for your movements when you climb. This exercise is a combination of coordination- and power-training which is summarized by the term "functional training".

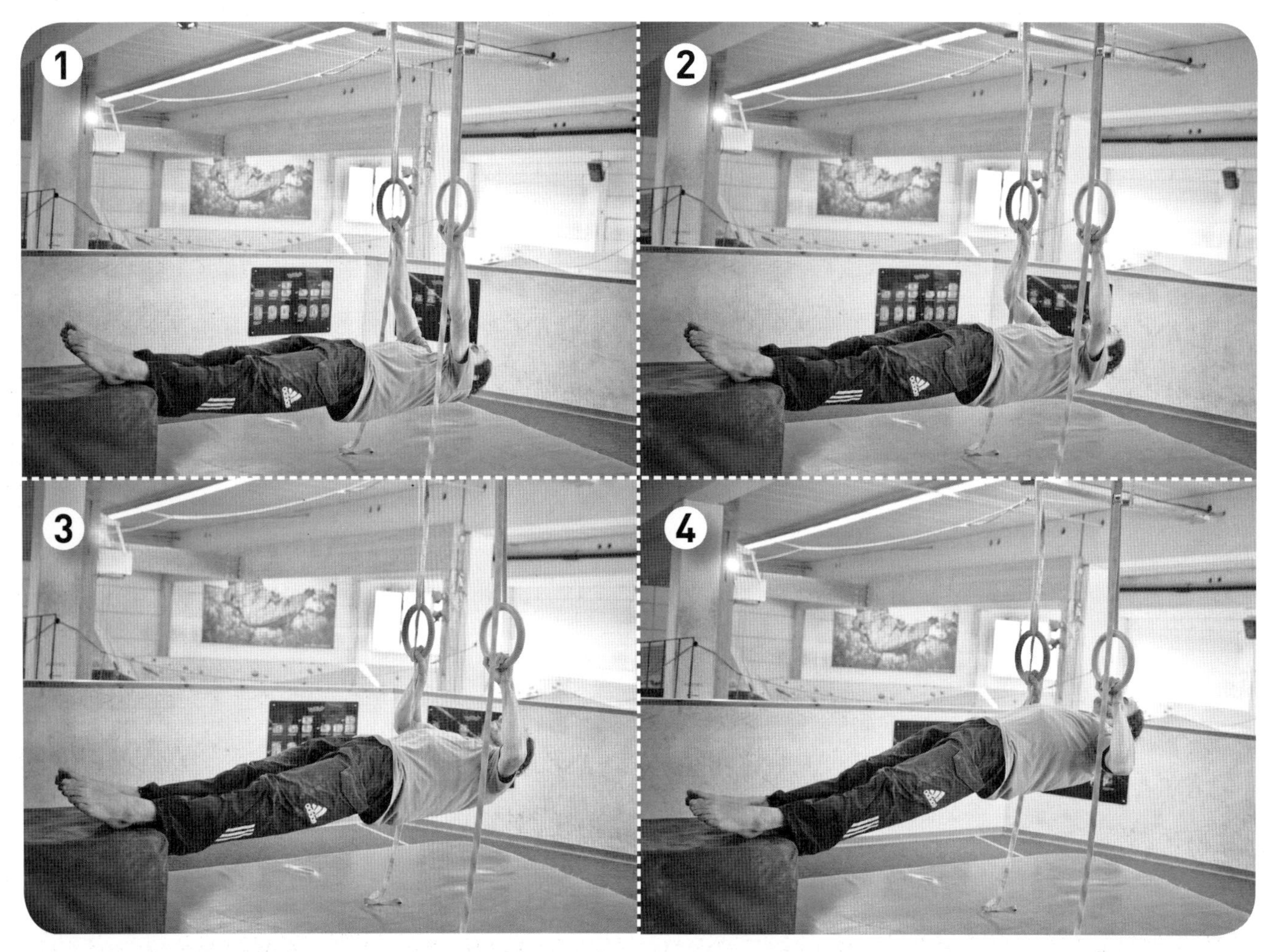
1
2
3
4

Rowing

Hänge dich in die Ringe und lege deine Füße auf ein ca. 40 cm hohes Podest. Bei korrekt eingestellter Ringhöhe sollte sich dein Körper bei ausgestreckten Armen in einer annähernd waagrechten Position befinden. Deine Arme hängen in der Schulterebene.

Nun ziehst du deinen Körper nach oben. Achte auf die korrekte Hand- und Armstellung: Hände sind nach innen gedreht (proniert), die Arme ziehen auf Schulterhöhe nach oben (als ob du ruderst; siehe Video!). Nicht vergessen: Ziehe deine Schultern nach hinten unten und versuche, sie dort zu fixieren.

Methode: Mache 8–12 Wiederholungen pro Satz, insgesamt 2–3 Sätze mit ca. 2 Min. Pause.

Als Variante eignen sich besonders gut Endkontraktionen oder statische Intervalle (siehe Einleitung).

Hang on the rings and put your feet on a 40 cm high podest. If the height of the rings is adjusted correctly your body should be in an almost level position when your arms are straightened.

Your arms are hanging on shoulder level, then you pull your body upwards. Pay attention to the correct position of your hands and arms. The hands are to be turned inwards (pronated), the arms on shoulder-height are pulling upwards as if you were rowing (see video!). Don't forget to pull back your shoulders and to keep them fixed.

Method: Perform 8–12 repetitions per set and 2–3 sets with a 2-minute rest in between sets.

Recommendable variants are end-contractions and static intervalls (see introduction).

! Diese Übung trainiert insbesondere deine mittlere Rückenmuskulatur und deinen Schultergürtel. Auch deine Körperspannung verbessert sich. Es wirkt ausgleichend auf Belastungen, die durch einseitiges Training der Zugschlinge beim Klettern entstehen (Training des Rhomboideus Minor und Major).

This exercise specifically trains the musculature of your middle back as well as your shoulder-belt. Body-tension is improved, too. It is compensatory for the stress created by the one-sided training of the upper extremety flexor sling in climbing.

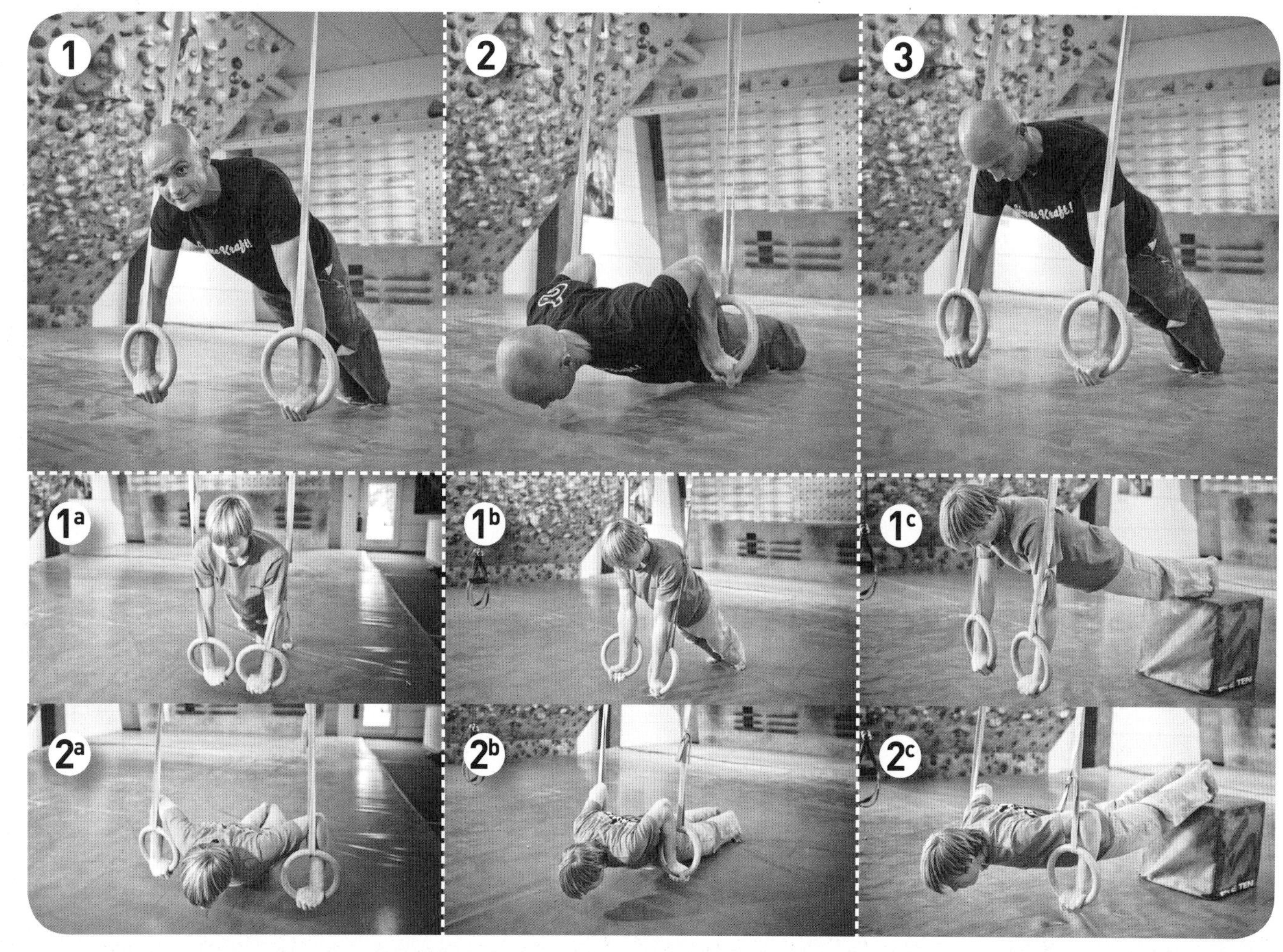
1
2
3
1a
1b
1c
2a
2b
2c

Revolver Push-Ups

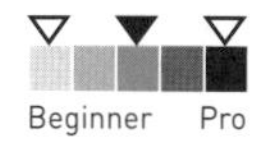

Nimm eine Liegestützposition in den Ringen ein und lege deine Füße auf ein ca. 40 cm hohes Podest. Bei korrekt eingestellter Ringhöhe sollte sich dein Körper bei gestreckten Armen in einer annähernd waagrechten Position befinden. Deine Arme stützen in der Schulterebene. Deine Hände sind nach innen gedreht (proniert). Nun führst du einen Liegestütz aus. Während des Absenkens drehst du deine Hände nach außen, beim Hochstützen entgegengesetzt nach innen.

Methode: Mache ca. 8 Wiederholungen pro Satz, insgesamt 2–3 Sätze mit ca. 2 Min Pause.

Varianten: a) klassische Liegestütze mit den Händen in den Ringen (leicht).

b) Kammgriffliegestütz (schwer): Deine Hände bleiben während der gesamten Liegestützübung in einer auswärts gedrehten Stellung („Kammgriff"). Je weiter sich die Schultern vor deinen Händen befinden, desto schwerer.

Get into a push-up position on the rings and put your feet on a 40 cm high podest. If the height of the rings is adjusted correctly your body should be in an almost level position when your arms are straightened. Your arms are stabilized on shoulder-level. Perform a push-up. When you lower yourself you turn your hands outwards and when you push yourself up again turn them inwards.

Method: Perform 8 repetitions per set and 2–3 sets with a 2-minute rest in between sets.

Variants: a) Standard push ups with hands in the rings (easy).

b) Comb-Grip Push-Ups (advanced): Your hands remain turned outwards throughout the whole exercise ("comb-grip"). This exercise becomes harder if you move your shoulders forward relatively to the mounting-point. Pay attention to your shoulder stability.

! Diese Übung trainiert die Stützschlinge Deines Oberkörpers und Deine Körperspannung. Die Variante im Kammgriff ist ein besonders intensives Training der Schulterstabilisatoren.
Bei allen beschriebenen Übungen kannst du die Intensität steigern, indem du deine Füße auf eine Erhöhung (Würfel o. ä.) legst (c).

This exercise trains the supporting-sling of your upper torso and your body-tension. The comb-grip variant is a very intensive training for the shoulder-stabilisators. You can increase the intensity of all exercises by elevating your feet, e.g. on a box (c).

1
2
3
2a
2b
2c

Lat-Ziehen im Kniestand

18-

Beginner Pro

Du kniest dich auf den Boden und greifst die Ringe, die in Hüfthöhe hängen sollten. Deine Arme wandern gestreckt nach vorne bis sie eine waagrechte Linie mit deinem Rumpf bilden und dann wieder zurück.

Methode: Mache ca. 8 Wiederholungen pro Satz, insgesamt 2–3 Sätze mit ca. 2 Min Pause.

Schwerere Variante:

Wenn deine Arme eine waagrechte Linie mit deinem Rumpf bilden, beugst du dein Ellbogengelenk und wanderst mit deinen Schultern unter die Ringe. Anschließend streckst du deine Arme wieder und drückst dich in die Ausgangsposition zurück.

Kneel on the ground and hold the rings which should be hanging at hip-height. Your straightened arms move forward until they build a horizontal line with your trunk, then move back.

Method: Perform 8 repetitions per set and 2–3 sets with a 2-minute rest in between sets.

Advanced Variant:

If your arms are on a level line with your trunk bend your elbow-joint and move your shoulders underneath the rings. Then straighten your arms again and push back into the starting position.

! Diese Übung trainiert vor allem deinen großen Rückenmuskel (Musculus Latissimus Dorsi) und deine Körperspannung, die schwerere Variante (Abknicken der Arme) zusätzlich deinen Armstrecker.

This exercise trains especially your big back muscle (Musculus latissimus dorsi) and the body tension. The hard variant (bending of the arms) additionally trains the extensors of the arms.

1
2
3
4

Uneven Pull-Ups

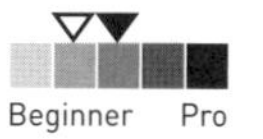

Eine alt bewährte Kräftigungsübung für Kletterer. Du hängst die Ringe in unterschiedlicher Höhe (mind. 50 cm versetzt) auf und machst Klimmzüge.

Methode: Mache 6–8 Wiederholungen pro Seite (1 Satz), insgesamt 2–3 Sätze mit ca. 2 Min. Pause.

Varianten in der Übungsausführung:

Variiere die Höheneinstellung der Ringe.

Du machst während der Zugbewegung eine kurze Pause (3 Sek.) wenn sich dein Arm im rechten Winkel befindet.

Leichtere Variante:

Entlastung durch Partner oder Gewicht mit Umlenkrolle.

This is a well-approved power-exercise for climbers. Adjust the rings to different heights (at least 50 cm offset) and perform pull-ups.

Method: Perform 6–8 repetitions per side (= 1 set) and 2–3 sets with a 2-minute rest in between sets.

Variant of the exercise:

Vary the height-adjustment of the rings.

Include a short break (3 seconds) during your pulling-movement when your arm is in square-angle.

Easier variant:

Facilitate by the help of a partner or additional weight plus deflection pulley.

! Diese Übung trainiert die gesamte Zugschlinge deines Oberkörpers. Je weiter der Abstand der Ringe, desto mehr wird auch der Armstrecker des unteren Armes beansprucht.

This exercise trains the entire upper extremety flexor sling of your upper-torso. The further the distance between the rings the more the extensors of your arms are being stressed.

1
2
3
4

Uneven Frontlever Pull-Ups

Du hängst dich zuerst kopfüber in die Ringe (Sturzhang). Dann winkelst du ein Bein an und senkst deinen Körper in die Waagrechte ab (Vorstadium der Hangwaage). Nun ziehst du deinen Körper in der waagrechten Position so weit nach oben wie es geht. Anschließend senkst du deinen Körper wieder ab und wechselst das angezogene Bein. Nun wieder anziehen.

Methode: Mache ca. 4–6 Wiederholungen pro Satz. Achte auf eine saubere Ausführung. Am besten ist es, wenn dein Trainingspartner dich korrigiert (waagrechte Körperposition halten!) und gegebenenfalls beim Anziehen entlastet. Mache insgesamt 2–3 Sätze mit 3 Min. Pause.

Get on the rings in a head-first position. Bend one leg and lower your body until it's in a level position (pre-stadium to front lever). Pull up your body as high up as possible then lower again and switch legs. Pull again.

Method: Perform 4–6 repetitions per set and pay attention to a clean performance of the exercise. Ideally your training-partner helps you maintain your level body-position and gives you some relief when you pull. Perform 2-3 sets with a 3 minute rest between sets.

! Uneven Frontlever Pull-Ups sind eine sehr intensive Körperspannungsübung, bei der du gleichzeitig eine Blockierbewegung ausführst. Wenn du diese Übung mit einem komplett gestreckten Körper (beide Beine ausgestreckt: Frontlever-pull-up) schaffst, kannst du dich gerne bei uns melden ;)

Uneven Frontlever Pull-Ups is a high-intensity body-tension exercise in combination with a lock-off movement. If you are able to perform this exercise with a completely straightened body (= front-lever pull-up) make sure to drop us a note ;)

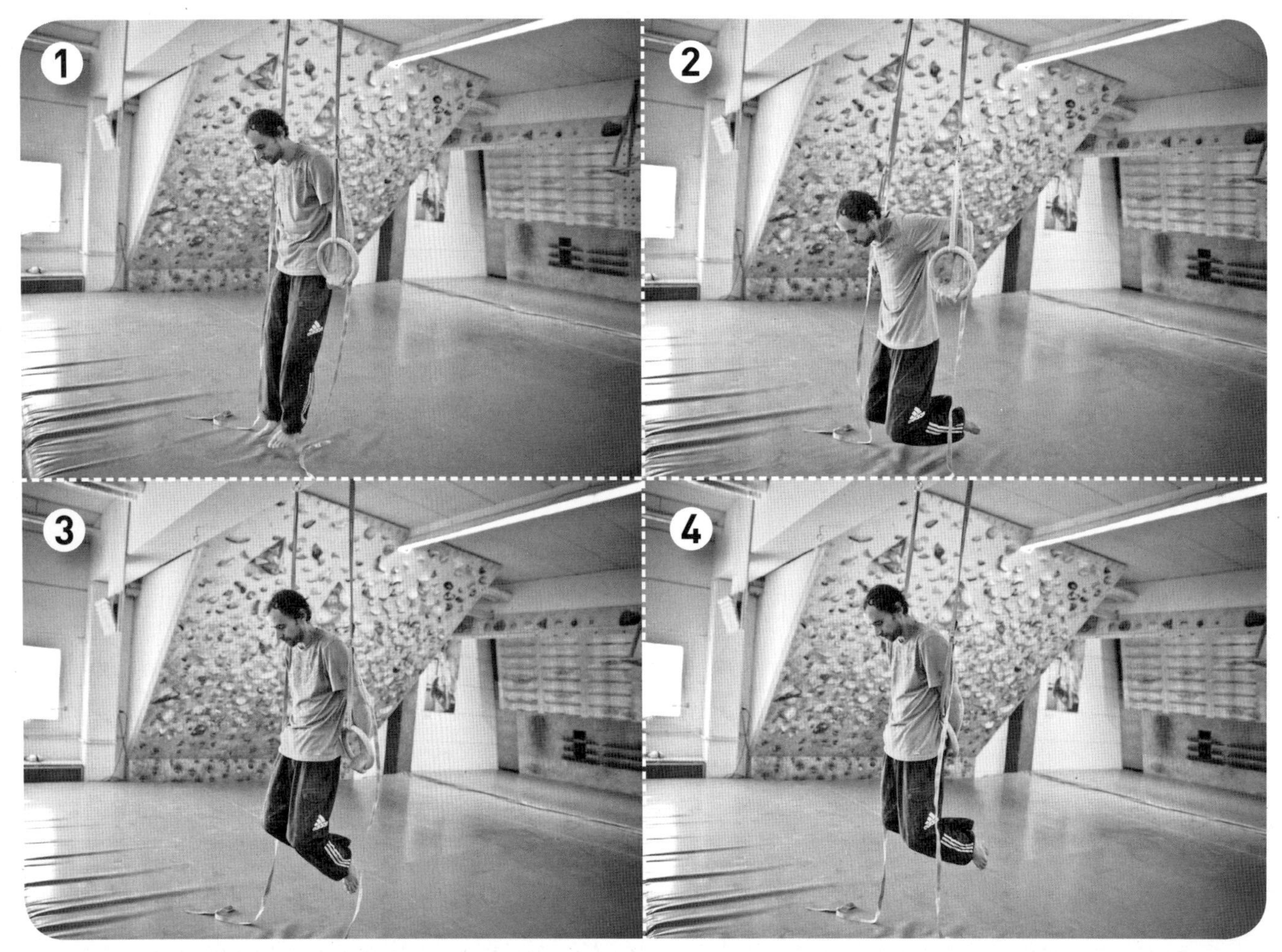
1
2
3
4

Bulgarian Dips

Die Bulgarian Dips stellen eine besondere Variante von Dips dar, bei denen du deine Ellbogen nach außen drehst. Dabei wird der Reiz auf deinen Schultergürtel stark erhöht. Achte darauf, dass deine Ellbogen zusammen mit deinem Oberkörper in einer gedachten (frontalen) Ebene liegen. Nun führst du die Dip-Bewegung (abknicken in den Ellbogen) aus. Achte auf eine langsame Bewegungsausführung und taste dich sorgfältig an den Endpunkt beim Ablassen heran (Verletzungsgefahr in der Schulter!). Übrigens eine der wenigen Übungen, bei denen die Schulter ein wenig Richtung Hals „absacken" darf (allerdings nur während der Ablass-Bewegung!)

Methode: Mache ca. 6–8 Wiederholungen pro Satz, insgesamt 2–3 Sätze mit ca. 2 Min Pause. Achte auf eine langsame und saubere Ausführung. Schaffst du die Übung noch nicht korrekt, lass dir von deinem Trainingspartner helfen.

The Bulgarian Dip is a variation of the regular dip where you turn your elbows outwards. This increases the stimulus on your shoulder-belt. Note that your elbows and your upper-torso are on the same imaginary (frontal) level. Perform a dip by bending your elbows and make sure you do it slowly until you have reached the endpoint of the lowering-motion (danger of schoulder injury!). By the way, this is one of the few exercises where the shoulders are allowed to sag towards the neck (during the lowering only!).

Method: Perform 6–8 repetitions per set. Perform 2–3 sets with a 2 minute rest in between sets. Pay attention to a clean performance of the exercise. If you don't manage to perform the exercises correctly ask your training-partner for help.

! Dieser Übungsklassiker aus dem Turnsport stellt ein bewährtes Antagonistentraining für das Klettern dar, bei dem die gesamte Stützschlinge deines Oberkörpers, insbesondere dein Schultergürtel, trainiert wird.

Another well established exercise in gymnastics which is also an approved antagonist-training for climbers by which the entire stabilization-sling of the upper body especially the shoulder-belt is being trained.

1
2
3
4

Muscle Up

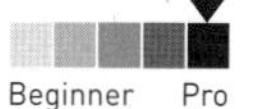

Ebenfalls ein Klassiker, der aus dem Turnsport kommt und eine der universellsten Kraftübungen, die es gibt. Leider nicht ganz leicht. Du hängst im Langhang an den Ringen. Dabei ist vor allem die richtige Griffart wichtig: Der so genannte „Ballengriff". Dabei drehst du die Kleinfingerseite deiner Hände möglichst weit nach innen. Nun führst du zuerst einen Klimmzug aus und versuchst am höchsten Punkt durch aktives Drehen der Handgelenke deine Schultern über die Hände zu bekommen. Der Rest der Bewegung gleicht einem Dip, bis du dich im Stütz an den Ringen befindest.

Methode: Mache 3–5 Wiederholungen pro Satz, insgesamt 2–3 Sätze mit 3 Min. Pause. Achte auf eine saubere Ausführung (beide Arme müssen parallel umgesetzt werden!), um Verletzungen in der Schulter zu vermeiden. Schaffst du die Übung noch nicht korrekt, lass dir von deinem Trainingspartner helfen.

Another classic and one of the most extensive strength-exercises out there. Unfortunately it's not easy. Get on the rings in a longhang-position and pay attention to the right grip: the so called palm-of-the-hand-grip where the small-fingered side of your hand is turned inwards as far as possible.

Perform a pull-up. When you have reached the highpoint try to move your shoulders above your hands. The rest of the movement is similar to a dip: the endpoint is reached when you find yourself pressed with straightened arms above the rings.

Method: Perform 3–5 repetitions per set and 2–3 sets with a 3-minute rest in between sets. Pay attention to a clean performance of the exercise (both arms have to work parallelly) to avoid shoulder injuries. If you don't manage to perform this exercise correctly ask your training-partner for help.

! Bei dieser Übung wird sowohl die Zug- als auch die Stützschlinge deines Oberkörpers trainiert. Ebenso bekommst du starke Handgelenke. Ein Muss für jeden Trainingsprofi! Um den Muscle Up auszuführen, benötigst du eine solide Grundkraft. Auch koordinativ ist er eine Herausforderung.

This exercise trains the upper extremety flexor and extensor sling. It also increases your wrist-power. In other words: it's a must for training-pros. To be able to perform the Muscle Up you need a solid basic power. This exercise is also a coordinative challenge.

Café Kraft
Café Kraft
Café Kraft
Gimme Kraft!

ProTip

»Ich denk auch, dass es wichtig ist, dass man nicht schon als Kind die ganze Zeit an seinem Limit klettert. Das war's ja eben bei mir. Ich bin bis vor kurzem nicht an meinem Limit geklettert. Und ich denke, dass das wichtig ist, um die Motivation aufrecht zu erhalten und nicht in ein Drop Out zu fallen, wie das eben vorkommen kann, wenn man kontinuierlich an seinem Limit klettert. Wenn man sich langsam Schritt für Schritt steigert, dann ist es viel leichter die Motivation und den Spaß am Klettern aufrecht zu erhalten. Und genau das haben mir meine zwei Trainer eingepaukt.«

For me it was definitely important not to climb at my limit all the time when I was young. That's exactly what it was. I never climbed at my limit until recently and that was maybe the reason why I could keep my high motivation and never dropped out. A loss of motivation is more likely when you always climb at your limit. If you choose to proceed step by step it's a lot easier to keep fun and motivation alive. That's exactly what I learned from my two trainers.

Alex Megos

Alex Megos (Jahrgang 1993) schrieb am 24.3.2013 Klettergeschichte, als er mit der 9a „Estado Critico" in Siurana die weltweit erste Onsight-Begehung einer Route dieses Grades verbuchen konnte. Dieses Meisterstück hat vor ihm noch keiner vollbracht. Alex trainiert seit früher Jugend unter der Ägide von Patrick und Dicki und ist der beste Beweis für die Wirkung ihrer Gimme-Kraft-Philosophie.

Alex Megos (born 1993) wrote climbing history on March 24th 2013 when he onsighted "Estado Critico" (9a) in Siurana to become the first person ever to onsight a route of this grade. From his early age on Alex has been training under the aegis of Patrick and Dicki and therefore is the best evidence for the Gimme-Kraft-philosophy.

Das Campusboard hat den Ruf, DAS Trainingsgerät zum Aufbau kletterspezifischer Maximal- und Explosivkraft zu sein. Es wurde nach dem Fitness-Studio „Campus" in Nürnberg benannt, in dem bis heute das Original hängt. Wolfgang Güllich, der das Board entwickelt hat, legte mit diesem Training den Grundstein für seine legendäre Maximalkraft, die er für seine Begehungen von Meilensteinen wie Wallstreet (XI-) oder Action Directe (XI) benötigte. Im Französischen heißt es übrigens „Pan Guellich"!

Wir unterscheiden 2 Trainingsformen am Campusboard:

· Das Training mit Unterstützung der Füße (Füße stehen auf Trittleisten).

· Das Training ohne Fußunterstützung (man hangelt).

Campusboard

Achtung: Das Training am Campusboard ist sehr intensiv und du kannst dich leicht verletzen. Für Kinder ist das Campusboard komplett tabu. Für Jugendliche ab ca. 16 Jahren sollten nur Übungen mit Fußunterstützung oder Campusübungen an den größten Griffleisten („Henkel") absolviert werden. Die Begleitung durch einen fachkundigen Trainer ist unverzichtbar.

Folgende Regeln müssen grundsätzlich beachtet werden:

- Falle nie in den gestreckten Arm.
- Greife die Leisten nur auf die unten beschriebenen Arten.
- Führe das Campus-Training nicht im ermüdeten Zustand aus.

Das Hangeltraining am Campusboard sollte in deinem Trainingsplan wegen der hohen Belastung nicht mehr als 1-mal pro Woche vorkommen.

Leistengrößen:

Wir unterscheiden 3 verschiedene Größen von Griffleisten.

- Kleine Leisten mit einer Breite von maximal 2 cm (Belastung nur auf dem ersten Fingerglied)
- Mittlere Leisten mit einer Breite von maximal 3 cm (Belastung teilweise auch auf dem zweiten Fingerglied)
- Große Leisten (Henkel) mit einer Breite von ca. 5 cm (Belastung komplett auf dem zweiten Fingerglied)

Bis auf die Henkel sollten die Leisten keinen „Incut" (positive Einkerbungen) aufweisen, da dies zum Aufstellen der Finger animiert (was unbedingt vermieden werden sollte!).

Griffarten (je nach Griffart werden unterschiedliche Unterarmmuskeln trainiert):

1) „Vier-Finger-Griff" (s. Video/Foto): Für Leistengröße 1 und 2 geeignet. Der Griff erfordert ein wenig Übung. Um alle Finger auf die Leiste zu bringen, wird deine Hand kleinfingerseitig zur Leiste gedreht. Zeige- Mittel-, Ring- und kleiner Finger befinden sich in einer halb-gestellten Position auf der Leiste. Der Daumen wird nicht zur Hilfe genommen. Das komplette Aufstellen der Finger mit Unterstützung des Daumens ist am Campusboard tabu!

2) „Abhängen": Ebenfalls für Leistengröße 1 und 2 geeignet. Deine Finger „hängen" an der Leiste. Das funktioniert normalerweise mit maximal 3 Fingern (Zeige-, Mittel- und Ringfinger). Für Trainingsprofis ist das Abhängen auch nur mit 2 Fingern möglich.

3) „Henkel-Griff" (siehe Video/Foto): Wird bei Leistengröße 3 angewendet. Alle vier Finger befinden sich hängend auf dem Griff.

Campusboard

The campus board is meant to be the training tool to build up climbing-specific maximum and explosive strength. It was named after the fitness studio "Campus" in Nuremberg, where the original still exists today. Wolfgang Güllich, who invented the board, laid the foundation for his legendary maximum strength with this training, which he needed for the ascents of milestones like Wallstreet (XI-) and Action Directe (XI). In French the campus board is called "pan guellich"!

There are 2 different types of training on the campus board:

- The training with support of the feet (feet on footholds).
- The training without support of the feet (you campus).

Caution: The training on the campus board is very intense and you can get injured easily. For children training on the campus board is taboo. Teenagers aged around 16 should just do exercises with support of the feet or campus board exercises at the biggest crimps ("jugs"). They have to be accompanied by an expert trainer.

The following rules must be followed:

- Don't fall into your straightened arm
- Grab the bars just in the way described below
- Don't train if you are already tired

The training on the campus board should be in your training plan only once a week, due to its high intensity.

Sizes of the rungs:

We distinguish between 3 different sizes of crimps.

- Small rungs with a maximum width of 2 cm (load on first phalanx)
- Moderate rungs with a maximum width of 3 cm (load also partially on the second phalanx)
- Big rungs ("jugs") with a maximum width of about 5 cm (load completely on the second phalanx)

Except for the "jugs" the rungs shouldn't be incut, because this leads to a full crimp which you should absolutely avoid.

Pic by Balli Ballenberger

4

Ways of grabbing the rungs (different forearm muscles are trained depending on your grip):

1)"four-finger grip" (see video/picture): suitable for rung sizes 1 and 2. This "position" takes some practice. To place all four fingers on the rung you have to turn your hands a little towards the direction of your small fingers. All four fingers are half-crimped on the rung. Don't use your thumb as a support.
A full crimp with support of the thumb is a taboo on the campus board.

2)"drag": also suitable for rung sizes 1 and 2. Your fingers are "hanging" on the rung. This normally works with a maximum of 3 fingers (index, middle and ring finger). For pros it is also possible to just hang on 2 fingers.

3)"jug" (see video/picture): is used on rung size 3. All four fingers are in a hanging position on the hold.

1
2
3

Up and Down

Beginner Pro

Der Klassiker! Du startest beidarmig an einer Leiste möglichst weit unten (Leistengröße 2 oder 3, je nach Könnensstand) und hangelst nach oben. Dabei gibt es verschiedene Varianten:

1) Du hangelst mit einer Hand nach oben und greifst mit der anderen dazu, bevor es weiter nach oben geht.
2) Du überziehst jeweils die Leiste, die deine andere Hand hält.
3) Du lässt eine oder mehrere Leisten beim Hochziehen aus. Daher kommen auch die gebräuchlichen Kombinationen wie z.B. „1–3–6".

Oben angekommen, hangelst Du die gleiche Kombination wieder nach unten.

Methode: Einmal hoch und runter hangeln (1 Satz) führt je nach Variante zu unterschiedlichen Wiederholungsmustern, die sich auch in der Art der trainierten Kraft unterscheiden. Grundsätzlich solltest Du 4–6 Sätze absolvieren, dazwischen mindestens 2 Minuten Pause.

The classic! You start with both hands on a low rung (size 2 or 3, depending on your fitness level) and campus up the board. There are different variations to do it:

1) You campus with one hand up and then match hands before continuing your way up.
2) You skip the rung you are holding with your upper hand when you pull up with your lower hand.
3) You skip one or more rungs while campusing up. That's how the well-known combinations came into being (e.g. "1–3–6").

Having reached the top, you campus down in the exact same way.

Method: Once up and down (1 set) leads to different repetition patterns, depending on the variation used. These patterns also differ in the type of the trained strength (see: effect). Basically you should do 4–6 sets with a minimum of 2 minutes break in between.

! Diese Übung verbessert im Allgemeinen Deine Blockierkraft. Je höher die gewählten Abstände, desto mehr wird Deine Maximalkraft beansprucht, je kürzer die gewählten Abstände (und damit je höher die Wiederholungszahl), desto mehr findest du dich im Bereich der submaximalen Kraft wieder.

This exercise generally improves your lock-off strength. The bigger the distances between the rungs the more you train your maximum strength. The smaller the distances (that means higher number of repetitions), the more you are in the range of submaximal power.

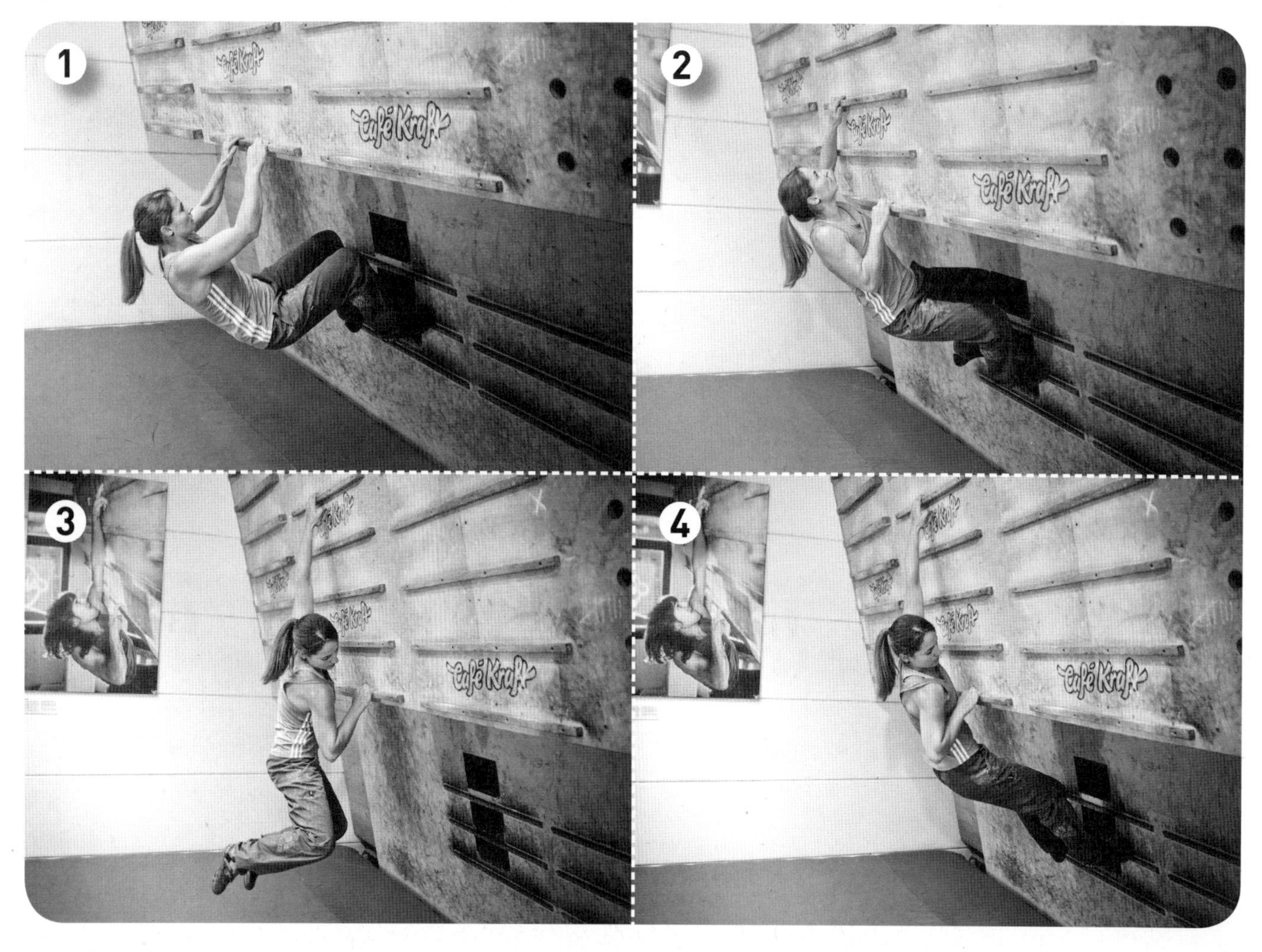
1
2
3
4
Café Kraft

Block 'n' Swing

Beginner Pro

Du startest mit beiden Händen auf der gleichen Leiste (Leistengröße 1 oder 2, je nach Könnensstand).

Du stehst auf einer Fußleiste (die Leiste sollte sich nicht zu weit unten befinden). Dann ziehst du mit einer Hand von Leiste zu Leiste nach oben, soweit es geht. Dort angekommen, löst du deine Füße kurz von der Trittleiste und stellst sie anschließend wieder dahin zurück.

Nun fängst du dich mit deiner oberen Hand wieder auf der Startleiste ab.

Methode: Mache im Wechsel ca. 5 Wiederholungen pro Seite. Führe 2–4 Sätze von dieser Übung aus und dazwischen je 2 Min. Pause.

You start with both hands on the same rung (size 1 or 2, depending on your fitness level).

Put your feet on a foothold (which shouldn't be too low). Go up from rung to rung just with one hand as far as possible. The other hand stays on the starting hold. Reaching your high point cut loose and put your feet back on the foothold again.

Now go with the upper hand directly back to the starting rung (where you have the lower hand) and absorb the downward motion.

Method: Perform 5 repetitions on each side with the hands in turns. Do 2–4 sets of this exercise, resting for 2 minutes between each set.

! Mit dieser Übung verbesserst du deine kletterspezifische Maximalkraft (Zugschlinge des Oberkörpers) und deine Körperspannung. Sie simuliert das Weiterschnappen mit den Händen und Umsetzen der Füße bzw. das „Angeln" von Tritten unter hoher Körperspannung.

With this exercise you improve your climbing-specific maximum power (the "pull" muscle group of the torso) and your body tension. It simulates bumping with the hands and changing feet resp. the "fishing" of footholds under high body tension.

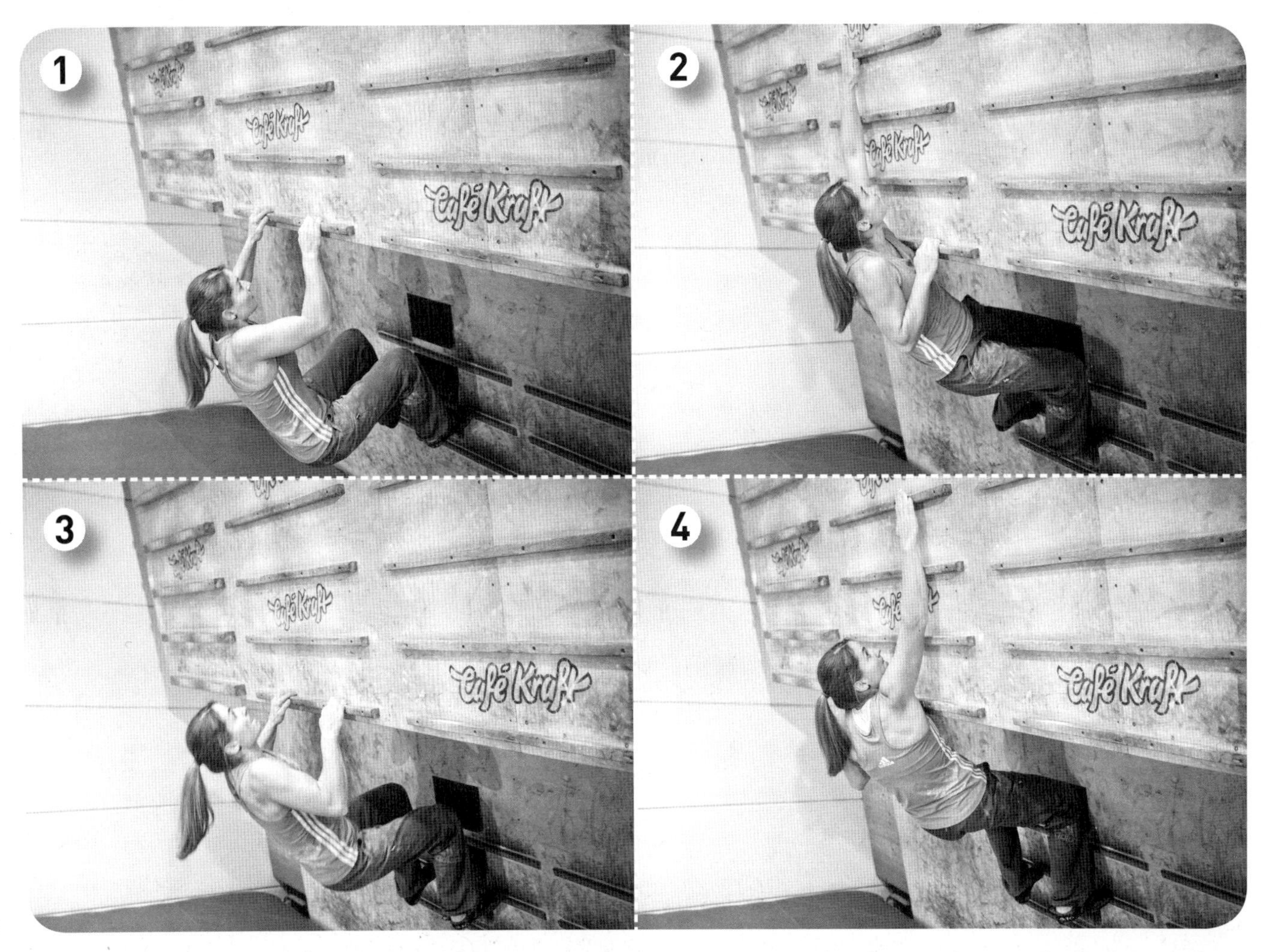
1
Café Kraft
2
Café Kraft
3
Café Kraft
4
Café Kraft

Block for Rock

Beginner Pro

Du stellst dich mit beiden Füßen auf eine Trittleiste unter dem Campusboard. Gleichzeitig greifst du mit beiden Händen an einer Leiste (Leistengröße 1 oder 2, je nach Könnensstand). Je waagrechter dein Oberkörper liegt, desto intensiver ist die Übung (v.a. wegen der Körperspannung).

Nun ziehst du mit beiden Armen maximal an und greifst mit einer Hand soweit es geht nach oben. Ohne mit der oberen Hand zuzugreifen hältst du diese Position für ca. 3 Sek.

Dann gehst du zurück in die Ausgangsposition und wiederholst das Ganze mit der anderen Hand (1 Durchgang).

Methode: Mache ca. 4–6 Durchgänge (Wiederholungen) ohne Pause. Dies ist bei dieser Übung ein Satz. Führe 2–4 Sets aus und mache dazwischen 2–3 Min. Pause.

Put both your feet on a foothold below the campus board. At the same time you grab one rung (size 1 or 2, depending on your fitness level) with both your hands. The more horizontal your body is, the more intense the exercise will be (especially because of the body tension).

Now pull with both hands to your maximum and hold out one hand as high as possible. Without grabbing a rung with the upper hand hold this position for about 3 seconds.

Then go back to the starting position and repeat the whole thing with your other hand (1 round).

Method: Perform about 4–6 rounds (repetitions) without a break. This is one set. Perform 2–4 sets and take a 2–3 minute break between each set.

! Ein perfekte Übung, um deine Blockierkraft zu trainieren. Damit simulierst du eine der wichtigsten Kletterbewegungen.

A perfect exercise to train your power to lock off. It simulates one of the most important climbing moves.

1
2
3
4
Café Kraft

Squaredance

Beginner Pro

1 Durchgang: Du stellst dich mit beiden Füßen auf eine Trittleiste unter dem Campusboard. Gleichzeitig greifst du mit beiden Händen an eine Leiste (Leistengröße 1 oder 2, je nach Könnensstand). Je waagrechter dein Oberkörper liegt, desto intensiver ist die Übung (v.a. wegen der Körperspannung).

Nun ziehst du mit deiner linken Hand nach oben und lässt dabei mindestens eine Leiste aus. Dann greifst du mit der rechten Hand dazu. Anschließend greifst du mit der linken Hand wieder zurück auf die Startleiste und fängst dich wieder ab.

Nun startest du mit der rechten Hand und wiederholst das Ganze.

Methode: Führe ca. 4–6 Durchgänge (Wiederholungen) ohne Pause aus. Die 4–6 Wiederholungen sind bei dieser Übung ein Satz. Mache 3–4 Sätze mit 2–3 Min. Pause dazwischen.

1 round: Place both your feet on a foothold below the campus board. At the same time you grab one rung (size 1 or 2, depending on your fitness level) with both hands. The more horizontal your body is, the more intense the exercise will be (especially because of the body tension).

Now pull up with your left hand and skip minimum one rung. Then match the upper rung with the right hand. Following this, grab with your left hand the starting rung and match again with your right hand.

Now start the whole thing with your right hand and repeat.

Method: Perform about 4–6 rounds (repetitions) without a break. The 4–6 repetitions of this exercise equal one set. Do 3–4 sets with 2–3 minute breaks in between.

! Diese Übung verbessert deine kletterspezifische, submaximale Blockierkraft (Zugschlinge des Oberkörpers) und deine Körperspannung. Auch hier hast du beim Abfangen nach unten einen negativ dynamischen Reiz, allerdings in abgeschwächter Form.

This exercise improves your climbing-specific, submaximal lock-off strength (the "pull" muscle group of the body) and your body tension. Also with this exercise you have a negative dynamic stimulus, but in a weakened form.

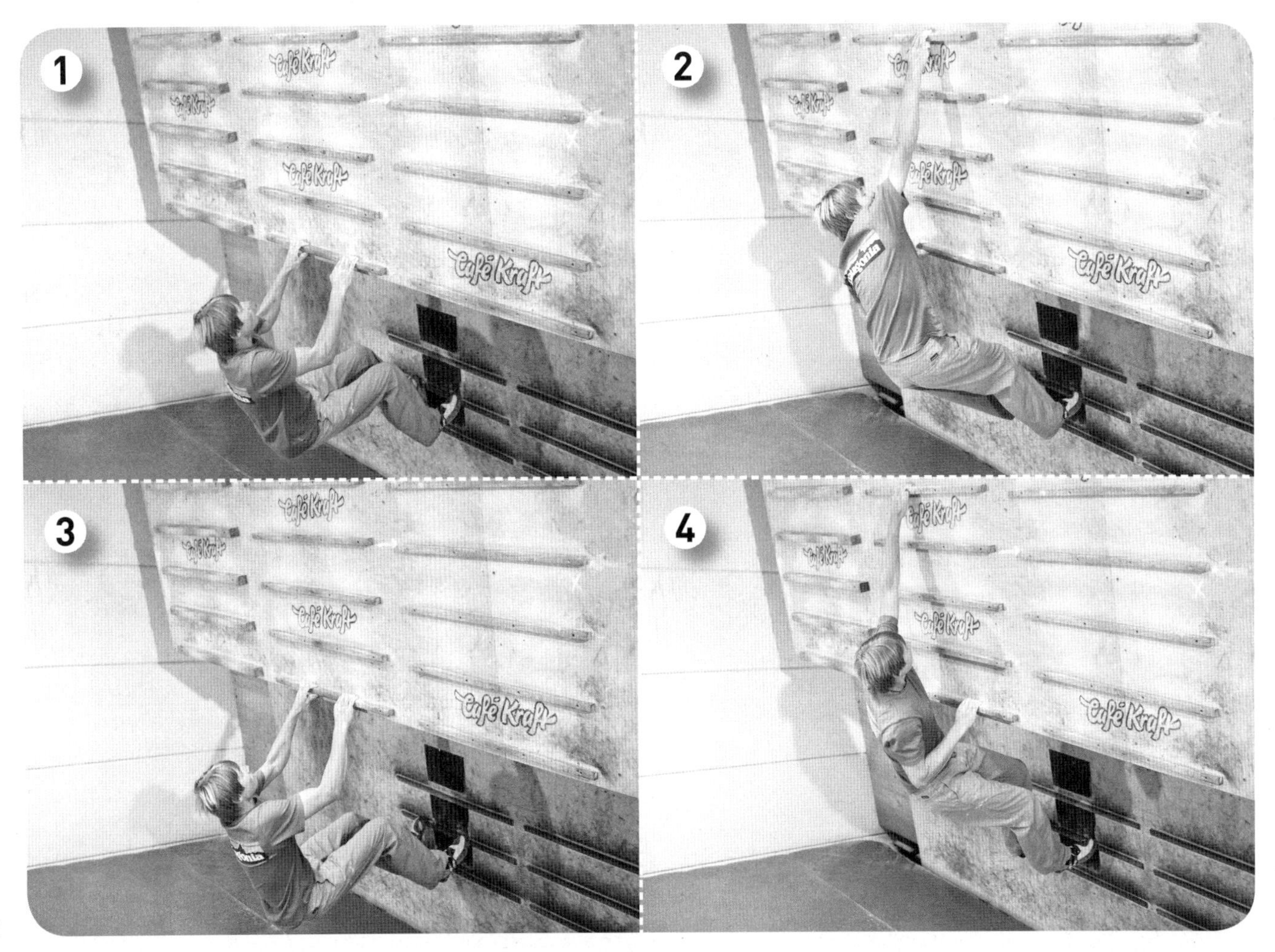
1
2
3
4

The Ladder

Du hängst dich mit beiden Händen an eine Leiste am Campusboard (Leistengröße 2 oder 3, je nach Könnensstand). Deine Füße stehen auf einer Trittleiste.

Dann ziehst du mit einer Hand von Leiste zu Leiste weiter nach oben, soweit es geht. Wenn du die für dich höchste Leiste erreicht hast, hangelst du wieder Leiste für Leiste zum Ausgangspunkt zurück.

Methode: Führe ca. 2 Durchgänge pro Seite im Wechsel aus (2 Sätze) und mache 2–3 Min. Pause zwischen den Sätzen.

You are hanging with both hands on a rung on the campus board (size 2 or 3, depending on your fitness level). Your feet are on a foothold.

Then pull with one hand from hold to hold, as far as possible. Arriving at your high point campus back down until you have reached your starting point.

Method: Perform about 2 rounds on each side in turns (2 sets) with a 2–3 minute break between the sets.

! Diese Übung verbessert Deine kletterspezifische Maximal- und Explosivkraft (Zugschlinge des Oberkörpers). Sie macht dich fit für dynamische Kletterzüge und steigert gleichzeitig deine Blockierkraft beim Klettern.

This exercise improves your climbing specific maximum and explosive strength (the "pull" muscle group of the body). It gets you in shape for dynamic climbing moves and increases your lock-off-strength at the same time.

On the Edge

Das Hängen an weit versetzten Leisten ist ein realitätsnahes Fingerkrafttraining, da du wie beim Klettern die Griffe auf unterschiedlichem Niveau hältst.

Das Training findet an kleinen bis mittleren Leisten statt. Du hängst dich mit je einer Hand an 2 Leisten (Größe 1 oder 2), die mindestens 40 cm auseinander liegen. Fortgeschrittene und Trainingsprofis können dabei auch nur mit Fingerpaaren arbeiten. Dann löst du die Füße vom Boden und versuchst dich je nach Kraftart, die du trainieren willst (siehe Methode), eine bestimmte Zeit frei hängend zu halten. Dein oberer Arm ist nur leicht gebeugt (aber nicht gestreckt), während der untere stark blockiert ist. Ziehe das Bein auf der Seite des fast ausgestreckten Armes an und simuliere damit ein hohes Antreten. Anschließend werden die Hände gewechselt.

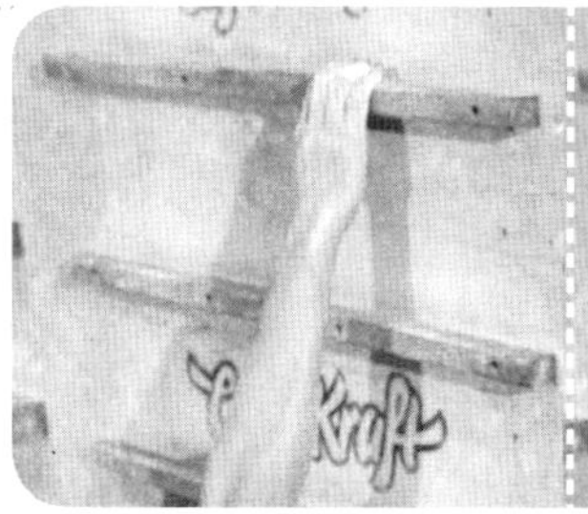

4 Finger: halb geschlossen (kleiner Finger darf nicht abrutschen)

4 Fingers: half crimp (pinkie should not slip)

3 Finger: offen (kleiner Finger liegt nicht auf)

3 fingers: open hand (pinkie hanging down)

2 Finger: Zeige- und Mittelfinger od. Mittel und Ringfinger liegen auf

2 Fingers: Index and middle finger or middle and ring finger holding

Methode: Je einmal rechts und links versetzt hängen, mit kurzer Wechselpause dazwischen (3–5 Sek. mit Nachchalken), entsprechen einem Satz. Du kannst 12 Sätze oder mehr ausführen (je nachdem, ob du einzelne Fingerpaare trainierst). Für den Anfang reichen jedoch 4–6 Sätze. Die Hängezeit und Pause zwischen den Sätzen ist abhängig von der Kraftart, die du trainieren willst:

1) Maximalkraft: Deine Hängezeit beträgt 7–10 Sek. Falls du an der von dir gewählten Leiste länger als 13 Sek. hängen kannst, solltest du mit etwas Zusatzgewicht arbeiten oder eine kleinere Leiste wählen (Achtung Verletzungsgefahr: Nur für Trainingsprofis geeignet und nicht beim Hängen mit Fingerpaaren verwenden!), wenn du die 7 Sek. nicht schaffst, solltest du eine größere Leiste wählen. Zwischen den Sätzen liegen 3 Min. Pause. Wichtig: Du musst dich bei der Übungsausführung voll konzentrieren!

2) Kraftausdauer: Deine Hängezeit beträgt 10 Sek. Auch hier kannst du wieder mit Entlastung oder Zusatzlast arbeiten (siehe Beschreibung S. 15f.). Die exakte Einstellung des Gewichtes ist hier jedoch nicht so entscheidend. Wichtiger ist, dass du die Einheit komplett absolvierst. Du hängst dich 4–6-mal 10 Sek. an die Leiste, dazwischen machst du eine kurze Pause von 3-5 Sek. (1 Satz). Nun machst du eine längere Pause von 1 ½–2 Min. Insgesamt absolvierst du 3–5 Sätze.

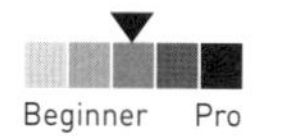

Hanging on far-offset holds is a realistic finger strength training as you grab holds on different levels like you do when you're climbing.

The training takes place on small and moderate edges. Hang with both hands on different edges (size 1 or 2) with a minimum of 40 cm in between the rungs. Advanced climbers and pros can also just use finger pairs. Then unstick your feet from the ground. Depending on the type of strength you want to train (see method), hang without feet for a certain time. Your upper arm is slightly bent (not straight), while the other arm is in a lock-off position. Tuck up your leg on the side where you have the slightly bent arm and simulate placing your foot really high. Change arms afterwards.

Method: Hanging once with each hand high/low, with a short break in between for chalking (3–5 seconds), equals one set. You can perform 12 sets or more (depends on whether you train separate finger pairs). For the beginning 4–6 sets are enough. The time you are hanging is determined by the type of strength you want to train:

1) Maximum strength: The time amounts to 7–10 seconds. If you can hang more than 13 seconds on the hold you have chosen, you either have to add some additional weight or you have to choose a smaller hold. (Caution! Risk of injury: Just suitable for pros. Not suitable when training with separate finger pairs.). If you are not able to hold the rung for 7 seconds you should chose a bigger one. Between the sets rest for 3 minutes. Important: You have to concentrate while doing this exercise!

2) Strength-endurance: The time amounts to 10 seconds. In this exercise you can add some additional weight or unload some weight (see description page 15f.). However, the exact adjustment of the weight is not the crucial point. It is more important to complete the whole unit. Hang 4–6 times for 10 seconds each on the rung, with a short break of 3–5 seconds in between (for chalking). This equals 1 set. Now rest for about 1½–2 minutes before starting with the next set. Perform 3–5 sets.

! Diese Übung verbessert je nach Trainingsmethode deine Maximalkraft oder deine Kraftausdauer in den Unterarmen. Denke daran, dass isolierte Übungen wie diese nur der reinen Kraftverbesserung dienen, eine Umsetzung erfolgt durch kletterspezifische Übungen.

This exercise improves your maximum strength or your strength-endurance in your forearms (depending on the training type). Bear in mind that this isolated exercise only improves your strength, which still has to be implemented in other, climbing-specific exercises.

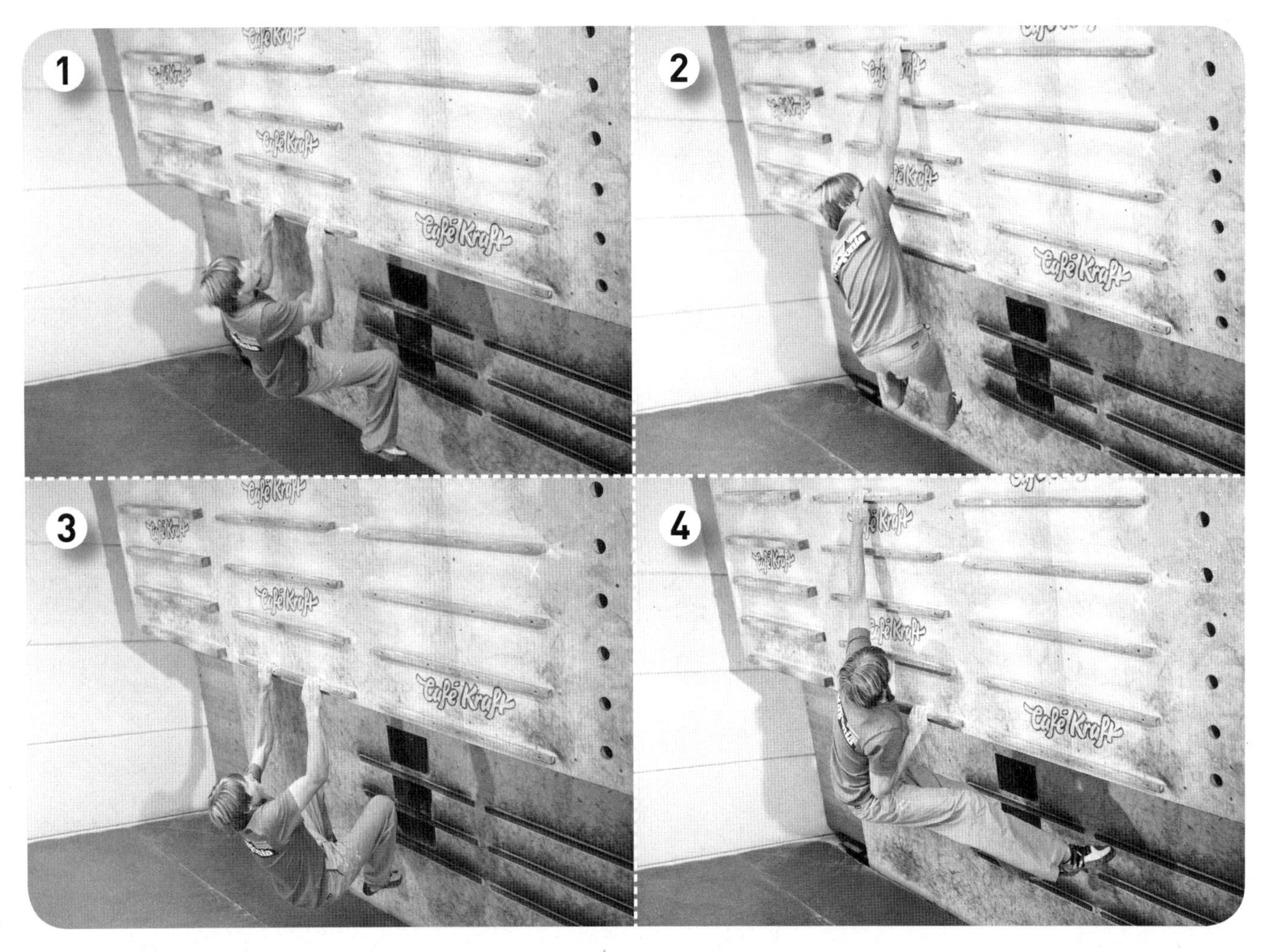
1
2
3
4
Café Kraft

The Ladder Footless

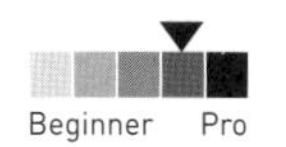

Du hängst dich mit beiden Händen an eine Leiste am Campus-Board (Leistengröße 2 oder 3, je nach Könnensstand). Dann ziehst du mit einer Hand von Leiste zu Leiste weiter nach oben, soweit es geht.

Wenn du die für dich höchste Leiste erreicht hast, hangelst du wieder Leiste für Leiste zum Ausgangspunkt zurück.

Methode: Führe ca. 2 Durchgänge pro Seite im Wechsel aus (2 Sätze) und mache 2–3 Min. Pause zwischen den Sätzen.

You are hanging with both hands on a rung on the campus board (size 2 or 3, depending on your fitness level). Then pull with one hand from hold to hold, as far as possible.

Arriving at your highest point campus back down from hold to hold until you have reached your starting point.

Method: Perform about 2 rounds on each side in turns (2 sets). Rest for 2–3 minutes between the sets.

! Diese Übung verbessert Deine kletterspezifische Maximal- und Explosivkraft (Zugschlinge des Oberkörpers). Sie macht dich fit für dynamische Kletterzüge und steigert gleichzeitig deine Blockierkraft beim Klettern. Der auftretende negativ dynamische Muskelreiz sorgt für zusätzliche Intensität.

This exercise improves your climbing specific maximum and explosive strength (the "pull" muscle group of the body). It prepares you for dynamic climbing moves and increases your lock-off strength at the same time. The arising negative dynamic muscle stimulation increases the intensity.

1
2
3
4
Café Kraft

Squaredance Footless

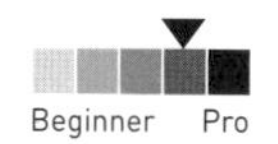

1 Durchgang: Du hängst dich mit beiden Händen an eine Leiste (Leistengröße 2 oder 3, je nach Könnensstand).

Nun ziehst du mit deiner linken Hand nach oben und lässt dabei mindestens eine Leiste aus. Dann greifst du mit der rechten Hand dazu. Anschließend greifst du mit der linken Hand wieder zurück auf die Startleiste und fängst dich ab.

Nun startest du mit der rechten Hand und wiederholst das Ganze.

Methode: Führe ca. 4–6 Durchgänge (Sätze) davon aus und mache 2–3 Min. Pause zwischen den Sätzen.

1 round: Hang with both hands on one rung (size 2 or 3, depending on your fitness level).

Now pull up with your left hand and skip minimum one rung. Then match the upper rung with the right hand. Following this, grab again the rung you started off with your left hand and match again with your right hand.

Now start the whole thing with your right hand.

Method: Perform about 4–6 rounds (sets) of this circle and rest for 2–3 minutes between the sets.

! Diese Übung verbessert Deine kletterspezifische Maximal- und Explosivkraft (Zugschlinge des Oberkörpers). Sie macht dich fit für dynamische Kletterzüge und steigert gleichzeitig deine Blockierkraft beim Klettern. Der auftretende negativ dynamische Muskelreiz sorgt für zusätzliche Intensität.

This exercise improves your climbing specific maximum and explosive strength (the "pull" muscle group of the body). It prepares you for dynamic climbing moves and increases your lock-off strength at the same time. The arising negative dynamic muscle stimulation increases the intensity.

1
2
3
4

Double Dynos

Du hängst dich mit beiden Händen schulterbreit an eine Leiste (Leistengröße 2 oder 3, je nach Könnensstand). Nun ziehst du beidarmig explosiv an und greifst im so genannten „toten Punkt" (du bist für einen kurzen Moment schwerelos) nach oben. Anschließend fängst du dich wieder nach unten ab.

Der Abstand zur Zielleiste sollte so gewählt werden, dass du mindestens 5 Wiederholungen (hoch–runter = 1 Wiederholung) hinbekommst.

Methode: Führe ca. 5 Wiederholungen (hoch–runter = 1 Wiederholung) pro Satz aus und mache davon 4 Stück. Zwischen den Sätzen sind 2-3 Min. Pause angesagt.

Hang with both hands shoulder-width apart on a rung (size 2 or 3, depending on your fitness level). Now pull explosively with both hands and at the dead point (you are weightless for a short time) release one hand and grab as far as you can. Afterwards return to the starting position.

The distance to the upper rung should be chosen carefully, so that you are able to do a minimum of 5 repetitions (up-down = 1 repetition).

Method: Perform about 5 repetitions (up-down = 1 repetition) per set and do 4 sets. Between sets rest for 2–3 minutes.

! Diese Übung verbessert dein Timing bei dynamischen Zügen und deine Auge-Hand-Koordination. Außerdem wird deine Explosivkraft intensiv trainiert (sowohl beim Beschleunigen nach oben, als auch beim Abfangen nach unten).

This exercise improves your timing for dynamic moves and your eye-hand-coordination. Your explosive power is also trained intensively (when accelerating upwards as well as going down again).

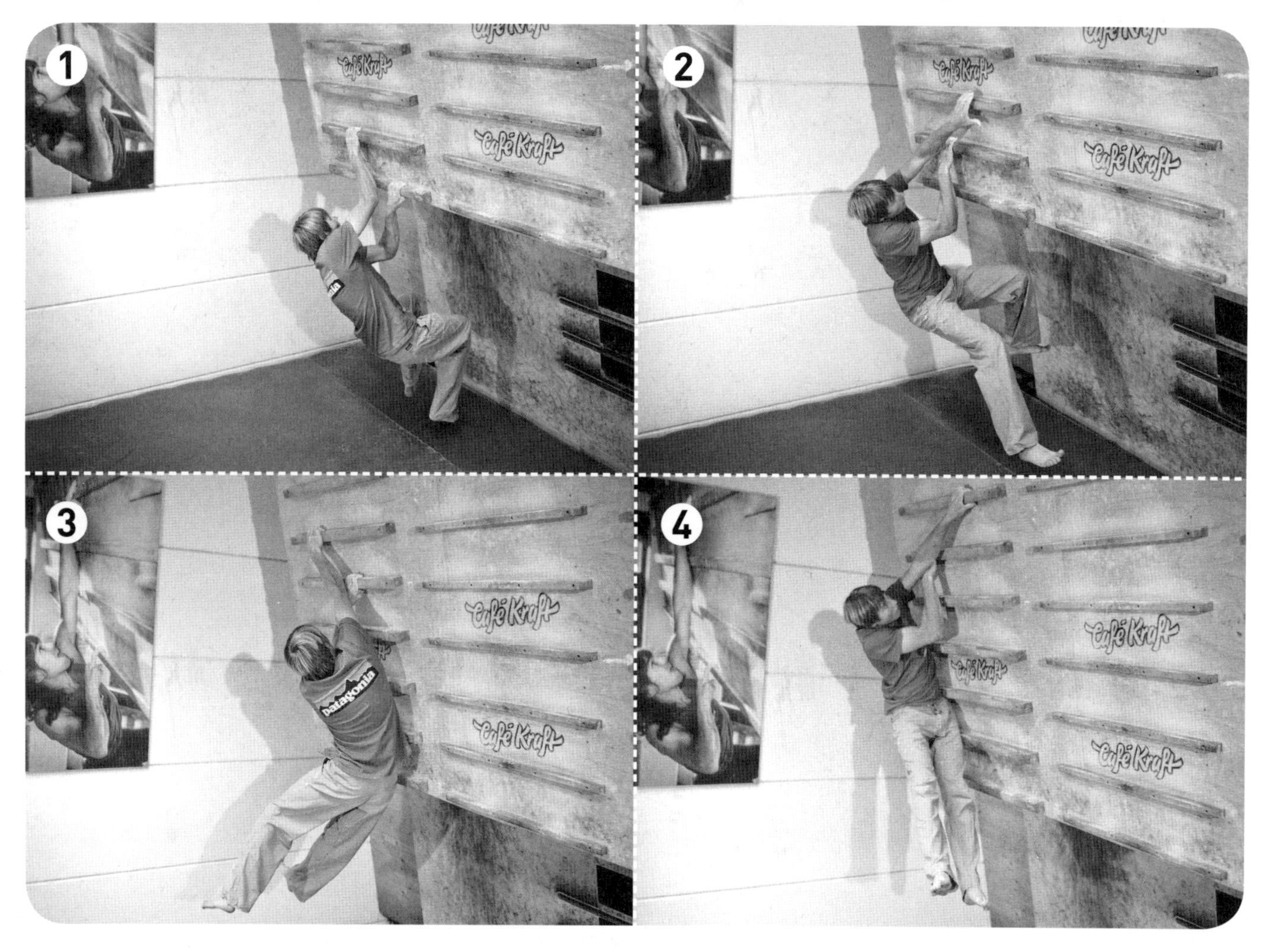
1
2
3
4
Café Kraft
patagonia

Crossover

Starte beidarmig auf einer Leiste der Größe 3.

Du ziehst mit beiden Armen an und kreuzt nun mit einer Hand diagonal zur nächsten Leiste (Trainingsprofis können dabei auch eine Leiste auslassen). Dort angekommen wiederholst du dasselbe mit der anderen Hand. Um es für dich leichter zu machen, greifst du erst kurz zur anderen Hand dazu, bevor du kreuzt (schwerer ist es, wenn du ohne Dazugreifen kreuzt).

Wichtig ist vor allem die Blockier- und Stützarbeit mit dem unteren Arm.

Methode: Einmal hoch hangeln (1 Satz) bedeutet 2–3 Wiederholungen pro Arm und Hand. Statt runter zu hangeln, lässt du oben los und springst ab (Matte nicht vergessen!). 2–3 Minuten Pause zwischen den Sätzen.

Start with both hands on a rung size 3.

Pull up with both hands and cross over to the next rung diagonally (pros can also skip one rung). Arriving at the rung cross over again to the next rung with the other hand. It's a bit easier to match hands before crossing over to the next rung (it is harder without matching).

It's important to lock off and stabilize with the lower hand.

Method: Campusing up once (1 set) means 2–3 repetitions per arm and hand. Instead of campusing down again, let go at the top and jump down (don't forget the mats!). Rest for 2–3 minutes between each set.

! Diese Übung verbessert deine Blockierkraft, im speziellen für „Kreuzzüge". Von technischer Seite her wird vor allem das Zusammenspiel von Zug- und Stützhand beim Weiterziehen geschult.

This exercise improves your lock-off strength, especially for "cross overs". In terms of technique you especially train the interaction of the pulling and the pushing hand when pulling up.

1
2
3
4
Café Kraft

Campus Boulder

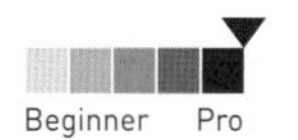

Nur eine Übung für Trainingsprofis, da sie extrem anstrengend ist und enorme submaximale Kraft erfordert. Übrigens eine von Wolfgang Güllichs Lieblingsübungen. Du überlegst dir eine Kombination aus verschiedenen Hangelbrettübungen (z.B. Starte mit 2 Crossoverzügen, dann 3 Züge nach oben hangeln; wenn du oben bist, wechselst du zur Seite auf eine andere Leistenreihe und hangelst nach unten, wobei du möglichst viele Leisten auslässt. Zum Abschluss noch 1–2 Doppeldynos nach oben. Am besten, du kombinierst 10–15 Züge. Es ist durchaus möglich, dass du Züge deines Kletterprojektes simulierst, um die spezifische Kraft, die dabei gefordert wird, zu trainieren.

Methode: Aufgrund der Intensität dieser Übung solltest du nicht mehr als 3 Sätze (Hangelboulder) absolvieren. Mache die Übung auf keinen Fall im ermüdeten Zustand (Verletzungsgefahr!). Zwischen den einzelnen Sätzen ca. 5 Min. Pause (je nach Trainingszustand).

This is just an exercise for pros, because it is extremely exhausting and requires enormous submaximal power. By the way, Wolfgang Güllichs favourite exercise.

Create your own combination of different campus board exercises (e.g. start with 2 cross overs, then 3 campus moves up; arriving at the top, change to one side to a different rung size and campus down, trying to skip as many rungs as possible. Finally 1–2 double dynos upwards.

Your best bet would be to combine 10–15 moves. It is indeed possible to simulate the moves of your climbing project, to train the specific power you need for it.

Method: Due to the intensity of this exercise you shouldn't do more than 3 sets (Hangelboulder). Don't do this exercise when you are tired and wasted (risk of injury!). Between each set you should rest for 5 minutes (depending on your training condition).

! Diese Übung verbessert Deine submaximale Kraft und Deine Koordination unter extremer Belastung.

This exercise improves your submaximal strength and your coordination under extreme load.

Pic **Reini Fichtinger** Climber **Kilian Fischhuber**

**»Kraft ist Blockieren und Weitergreifen!
Du musst immer motiviert sein fürs Training.
Wenn es Dir keinen Spaß macht, dann bringt es auch nichts.
Motivation ist das Wichtigste.«**

**»Power is locking off and moving on! What you really need for training is motivation. If you don´t enjoy training, its good for nothing.
Motivation is the key.«**

Guntram Jörg

Guntram Jörg, Jahrgang 1988, ist einer der jungen Wilden der internationalen Boulderszene. Immer locker und gut drauf weiß er aus jedem Fels das Wasser zu quetschen. Im spanischsprachigen Raum verbuchte er eine Menge Erstbegehungen, sein schwerster Boulder ist „Big Paw" 8c.

Guntram Jörg, born 1988, is one of the roaring talents of the international boulder scene. Laid back by attitude he also knows how to squeeze the water out of the rock when the time has come. He has a lot of hard first ascents under his belt and "Big Paw" (8c) is his hardest yet.

Das Steckbrett ist ein Trainingsgerät aus dem Beginn der Sportkletterära. Dabei dienen verschieden geformte Stäbe als Griffelemente, mit denen man sich an einem leicht geneigten Lochrasterboard fortbewegt (meist indem die Stäbe umgesteckt werden). Das Steckbrett dient vor allem zum Training der kletterspezifischen Muskulatur (Zugschlinge).

Wir verwenden das Steckbrett variabel zur Verbesserung folgender Fähigkeiten:

- Statische Blockierkraft
- Schnell- bzw. Explosivkraft
- Körperspannung

Da man am Steckbrett zwar sehr kletterspezifisch Kraft trainiert, jedoch die Füße vernachlässigt (man hangelt ja die meiste Zeit), ist es wichtig, nicht nur an diesem Gerät zu trainieren, sondern Kletterübungen in der Trainingsplanung nicht zu vernachlässigen (genau wie beim Campusboard auch). Die Verletzungsgefahr am Steckbrett ist relativ gering, allerdings musst Du darauf achten, nicht mit komplett hängenden Armen zu trainieren oder in diese hineinzufallen, da das Schultergelenk dabei stark belastet wird.

Steckbrett

The peg board is a training tool from the beginnings of the sport climbing era. Differently shaped sticks ("pegs") serve as hand grip elements with which you move up a slightly overhanging board with holes laid out in a grid pattern (mostly through re-situating the sticks). The primary function of the peg board is a training of the climbing specific musculature (the "pull" muscle group of the torso).

We use the peg board variably to improve following abilities:

- Static lock-off strength
- Rapid and explosive strength
- Body tension

Although the peg board training is very climbing specific, the feet are sparsely used (you campus most of the time). That's why it is important not to train only on this training tool, but to include other climbing exercises (it's the same with the campus board). The risk of injury on the peg board is relatively small, but you have to pay attention not to train with completely straight arms. You also have to avoid to "fall" into your straight arm – this can cause excessive strain to the shoulder.

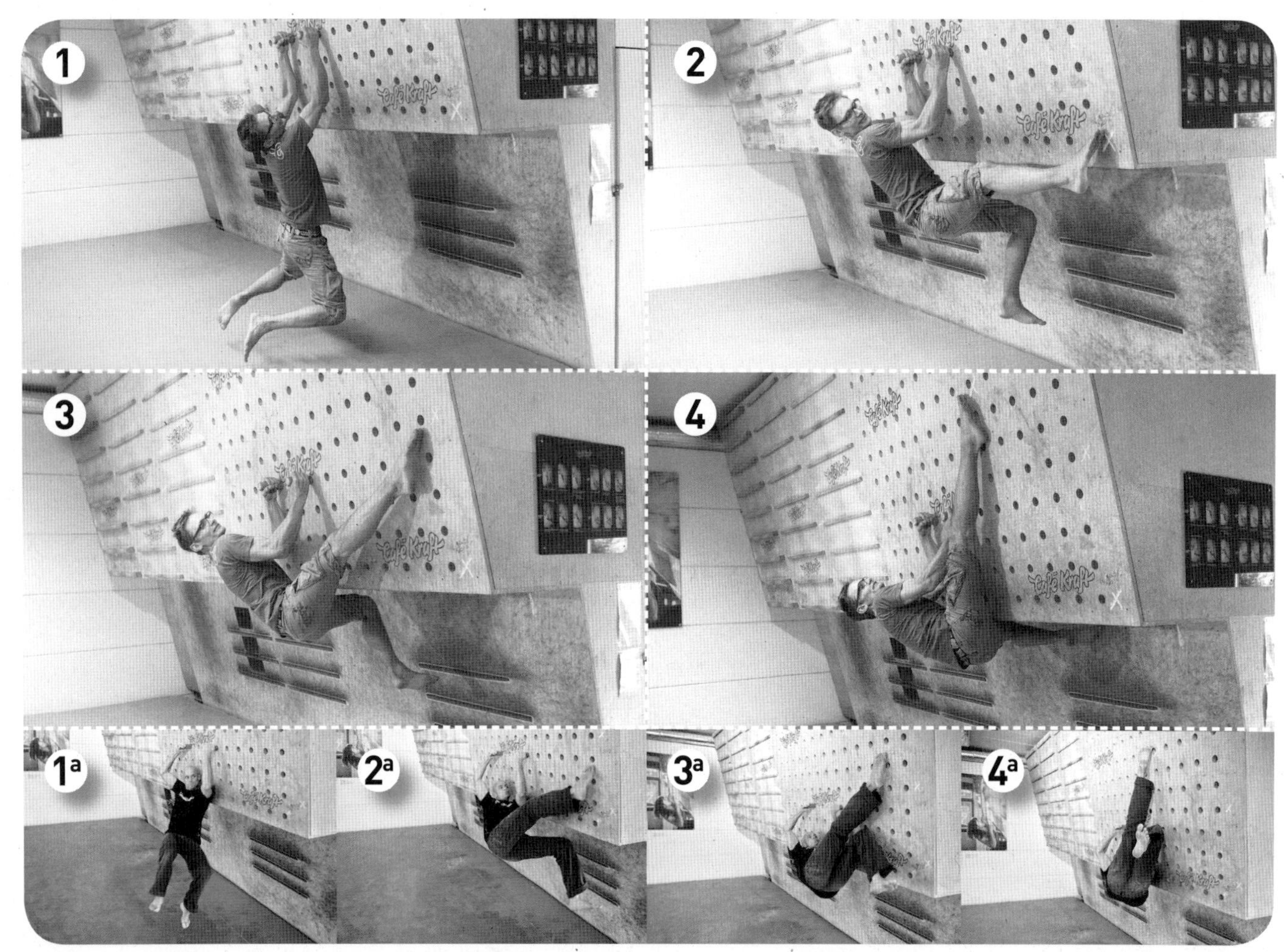
1
2
3
4
1a
2a
3a
4a

Tic Tac Toe

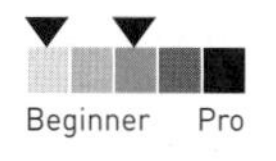

Hänge dich an zwei auf gleicher Höhe befestigte Griffelemente (der horizontale Abstand kann 1–3 Bohrungen betragen) und versuche mit dem linken Fuß erst (weit) unten links, dann in Rumpfhöhe, dann über Kopf einen weit entfernten Punkt anzutippen.

Dann wiederholst du das Ganze mit dem rechten Fuß.

Methode: Führe 2–4 Wiederholungen (1 Wiederholung = 3-mal tippen je mit dem linken und rechten Fuß) aus. Mache insgesamt 2–4 Sätze mit 2–3 Min. Pause dazwischen.

Variante:

Hänge dich rücklings an die Griffe.

You are hanging on two pegs at the same height (the horizontal distance should be 1–3 holes). Now try to touch with your left foot a far off point at your lower left, then at flank height and then above head height.

Repeat the whole thing with the right foot afterwards.

Method: Perform 2–4 repetitions (1 repetition = 3 times tipping with the left and right foot each). Do 2–4 sets with a break of 2–3 minutes in between.

Variation:

Hang on the hold facing backwards.

! Mit dieser Übung trainierst du vor allem deine kletterspezifische Körperspannung.

With this exercise you especially train your climbing-specific body tension.

1
1a
2
3
4

Double Dynos

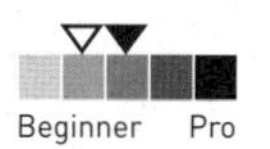

Du benötigst 4 Griffelemente. 2 davon werden auf gleicher Höhe relativ weit unten im Griffbrett befestigt. Beim Abstand der beiden kannst du von eng (1–2 Rasterbohrungen Abstand zu Beginn) weit (3–4 Rasterbohrungen) variieren. Nun befestigt du die 2 anderen Griffelemente jeweils senkrecht oberhalb der ersten beiden. Dieser Abstand muss sorgfältig gewählt werden! Ist er zu weit, fällst du eventuell in den gestreckten Arm und belastest deine Schulter stark. Nun hängst du dich an die unteren beiden Griffelemente und schnappst mit einem Doppeldynamo zu den beiden oberen. Anschließend fängst du dich wieder nach unten ab.

Methode: Mache 4–8 Wiederholungen und 2–4 Sätze mit 3 Min. Pause dazwischen. Wenn du mehr als 8 Wiederholungen schaffst, solltest du den vertikalen Abstand vergrößern.
Variante (einfacher): Du führst die Doppeldynos mit Fußunterstützung (Füße stehen auf dafür befestigten Trittleisten) aus.

You need 4 pegs. 2 of them are fixed relatively low on the same height on the peg board. You can vary in distance from close (You may start with 1 or 2 holes in between) to far (3–4 holes in between). Now you fix the other 2 pegs above and perpendicular to the lower elements. The distance has to be chosen carefully. If it's too far, you might fall into your straightened arm and your shoulder is highly strained. Now you hang on the lower pegs and double dyno to the upper ones. Then dyno back down to the lower pegs.

Method: Perform 4–8 repetitions and 2–4 sets, resting 3 minutes in between.
If you can do more than 8 repetitions you should increase the vertical distance between the lower and higher pegs.

Variation (easier): Do the double dynos with support of the feet (feet are on a rung).

! Diese Übung entwickelt deine Schnell- bzw. Explosivkraft und verbessert Deine intermuskuläre Koordination für dynamische Kletterzüge. Sie ist nahezu identisch mit den Doppeldynos am Campusboard, aber einfacher auszuführen.

This exercise develops your speed and explosive strength and improves your intramuscular coordination for dynamic moves. This exercise is nearly identical to the double dynos on the campus board. Since the holds are bigger, it is easier to perform.

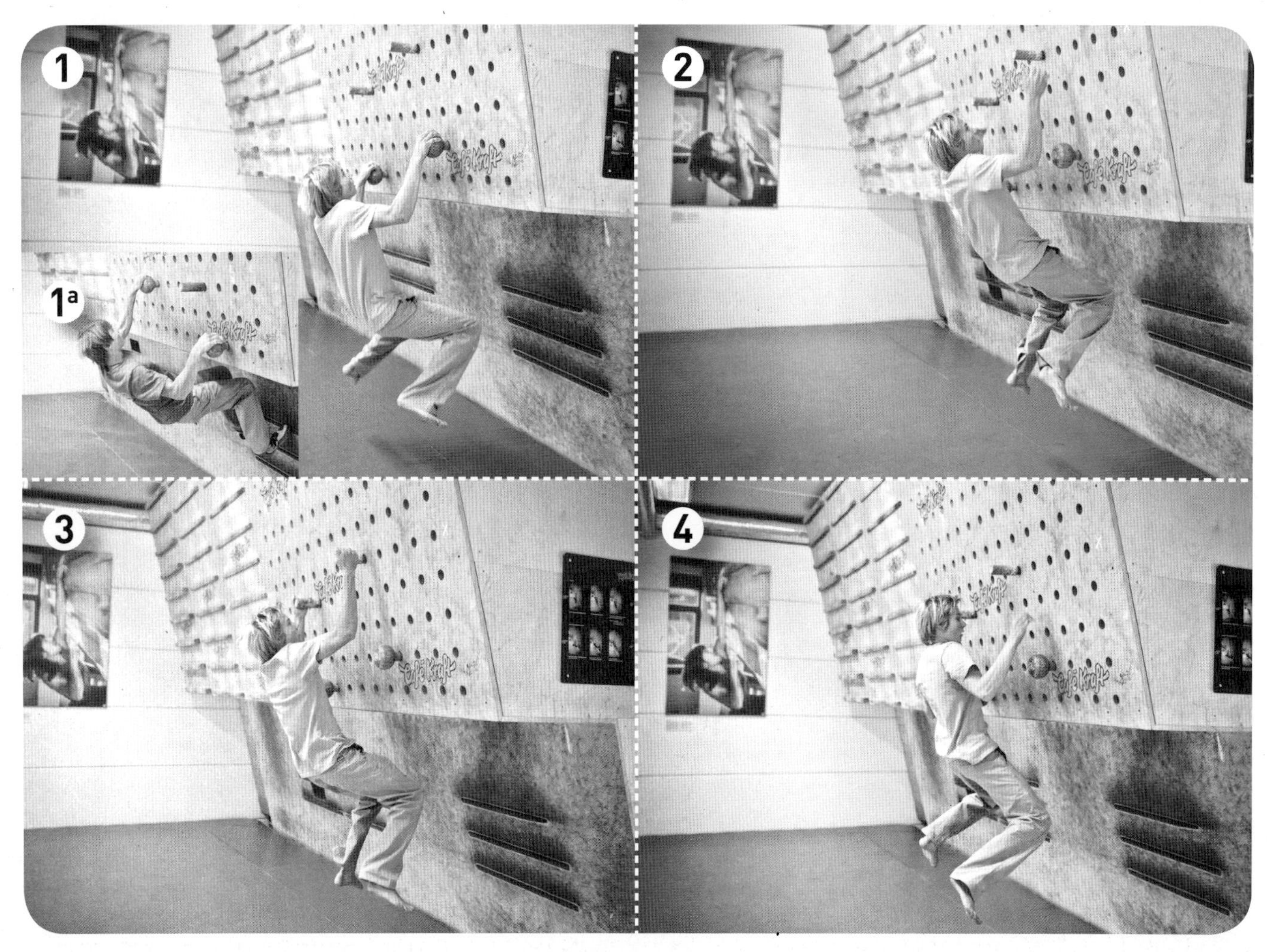
1
1a
2
3
4

Uneven Double Dynos Diagonal

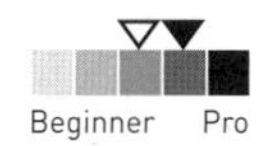

Die Übung ähnelt der vorherigen, nur dass diesmal auch die Ausgangs- und Endgriffe in der Höhe unterschiedlich befestigt werden. Taste dich langsam heran und beginne mit 1 Bohrung Unterschied. Mehr als 3 sollten es aufgrund der höheren Verletzungsgefahr nicht sein! Nun führst du wieder Doppeldynamos nach oben und unten aus.

Methode: Diese Übung ist schwerer als die klassischen Doppeldynamos, da sie vor allem mehr Auge-Hand-Koordination erfordert.

Mache 4–8 Wiederholungen und 2–4 Sätze mit 3 Min. Pause dazwischen. Bei dieser Übung solltest du den vertikalen Abstand der Ausgangs- und Endgriffe zwischen den Sätzen variieren.

Variante (einfacher):

Du führst die Doppeldynos mit Fußunterstützung (Füße stehen auf dafür befestigten Trittleisten) aus.

This exercise is almost like the exercise before, but this time you place the lower and higher pegs not horizontally but on different heights. Start with a difference of one hole to get used to it. The distance shouldn't be more than 3 holes because of the risk of injuries! Now do the double dynos again between the upper and the lower pegs.

Method: This exercise is harder than the classic double dynos because it requires more eye-hand-coordination.

Perform 4–8 repetitions and 2–4 sets, resting 3 minutes between each set. In this exercise you should vary the vertical distance between the lower and higher elements from set to set.

Variation (easier):

You do the double dynos with support of the feet (feet are on a rung).

! Diese Übung entwickelt deine Schnell- bzw. Explosivkraft und verbessert deine intermuskuläre Koordination für dynamische Kletterzüge. Außerdem wird deine Auge-Hand-Koordination verbessert.

This exercise develops your speed and explosive strength and improves your intramuscular coordination for dynamic moves. Besides you will improve your eye-hand-coordination.

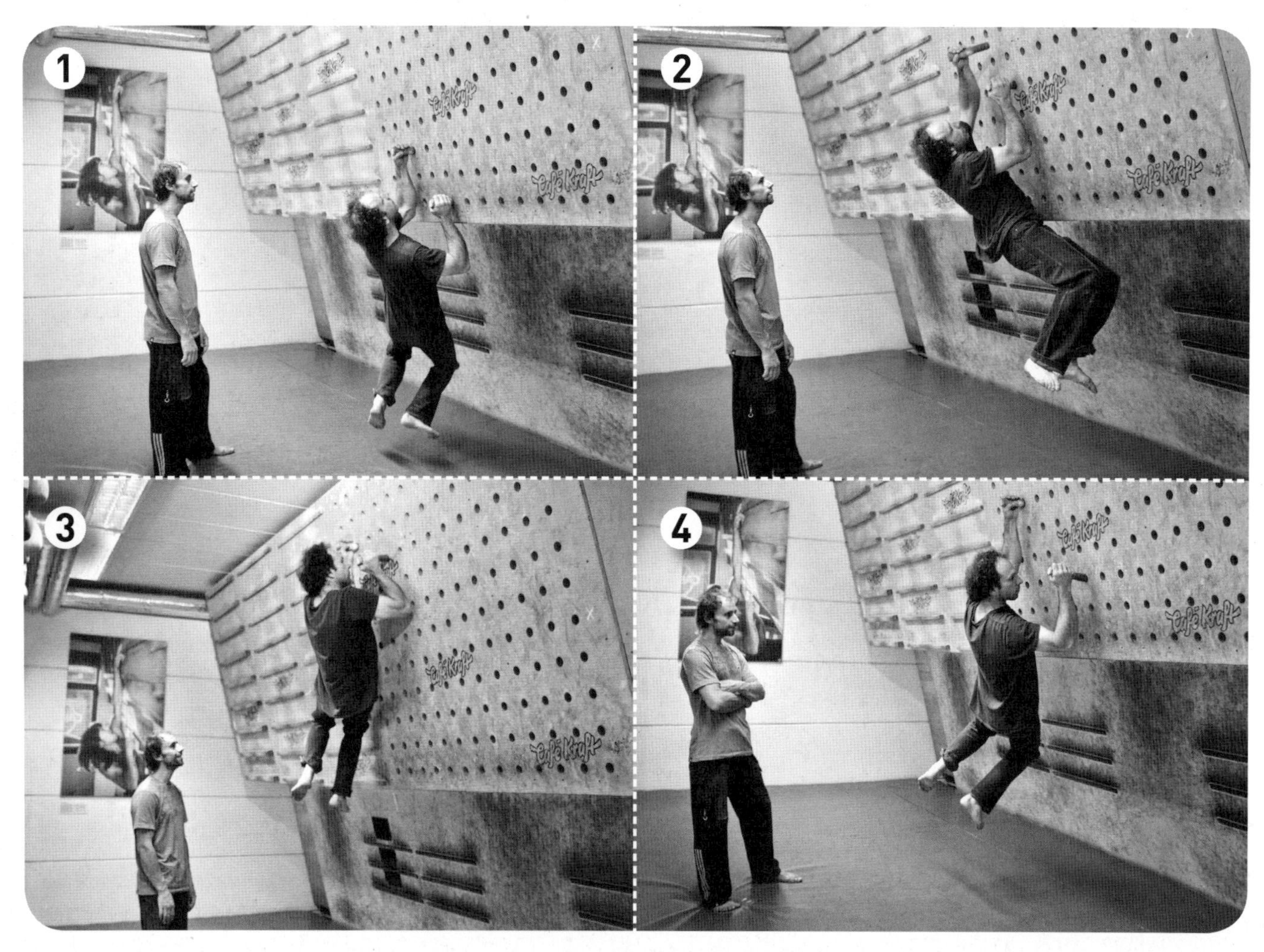
1
2
3
4

Stick it!

Du fängst am unteren Ende des Steckbretts mit zwei Griffen (mit Sticks zum seitlich Greifen = einfacher oder Griff-Sticks zum frontal Greifen = schwerer) an. Es gibt folgende Varianten:

Matchen: Du blockierst mit beiden Armen an, löst einen Stick und steckst ihn höher; dann ziehst du wieder an und steckst den anderen daneben. Nun mit der anderen Hand und immer wechseln, bis du oben bist. Dann das Ganze umgekehrt nach unten ausführen.
Überziehen: Du blockierst wieder mit beiden Armen an, löst einen Stick und steckst ihn höher; nun verdoppelst du die Distanz, indem du mit dem anderen Arm überziehst. Mache ebenfalls im Wechsel weiter, oben angekommen das Gleiche wieder nach unten.

Methode: Je nach Steckbrettgröße kommen bei einer kompletten Übung (hoch und runter) ca. 6–8 Wiederholungen zu Stande. Davon machst du 2–4 Sätze mit 3 Min. Pause dazwischen.

Start at the bottom of the peg board with two pegs (with pegs that you can grab from the side = easier; pegs which you have to grab frontally = harder). There are different variations:

Matching: Lock off with both arms and remove one peg to place it higher; now pull up again and place the second peg on the same height. Now continue with the other hand and alternate hands until you are at the top. Then do it the other way round to move down.

Prolonged lock-off: Lock off with both arms, remove one peg and place it higher, now double the distance by placing the second peg higher than the first one. Do this also in turns. Arriving at the top do the same to get down again.

Method: Depending on the size of the board a complete exercise (up and down) means 6–8 repetitions. Do 2–4 sets, resting 3 minutes between each set.

! Diese Übung verbessert vor allem deine Blockierkraft, die genauen Muskelanteile variieren dabei mit der Griffart, die du verwendest.

This exercise especially improves your lock off power. Depending on which pegs you use, different muscles are exercised.

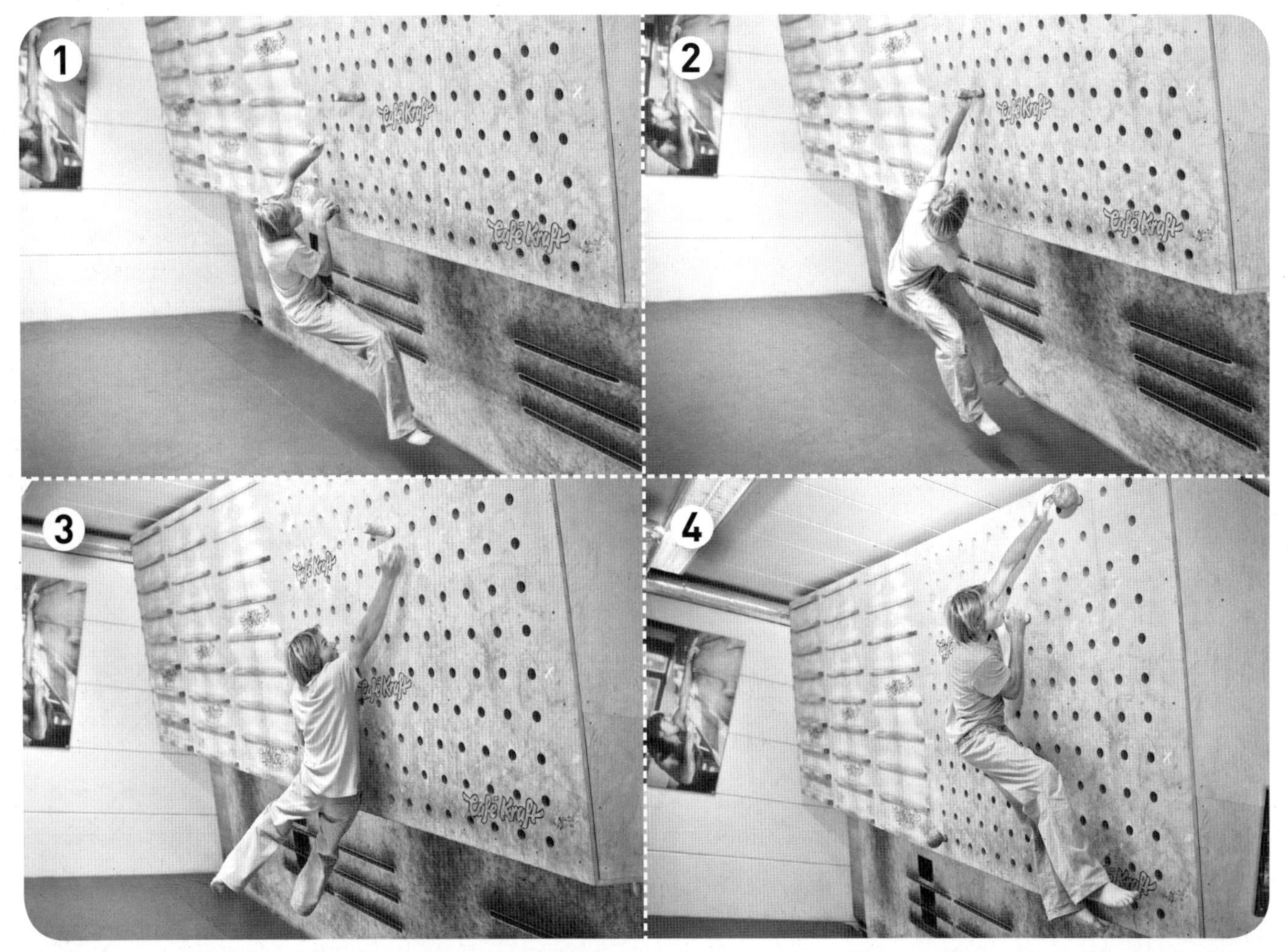
1
2
3
4

Santa Cruz

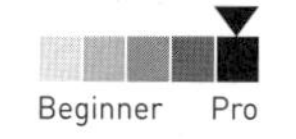

Bei dieser Übung werden im Gegensatz zu „Stick it" die Griffelemente nicht umgesteckt. Du präparierst diese so (mind. 4), dass sie von der unteren Ecke des Bretts diagonal Richtung obere Ecke des Bretts reichen. Beim Abstand musst du ein wenig ausprobieren, was für dich machbar ist. Steigern ist natürlich jederzeit möglich. Du startest nun in der unteren Ecke mit beiden Händen an einem Griffelement (wenn du mehr davon hast, geht es auch mit 2 parallel positionierten). Nun blockierst du über Kreuz zum nächsten Griffelement, dann sofort durchblockieren zum nächsten, dann dazu oder gleich wieder über Kreuz zum nächsten. Oben angekommen, springst du ab. Natürlich muss auch die andere Seite trainiert werden, also vergiss nicht, die Sticks umzustecken!

Methode: Je nach Anzahl der Sticks kommst du auf 3–5 Wdhl. Mache 2 Sätze zur einen Seite, dann das Gleiche zur anderen Seite, dazwischen je 3 Min. Pause.

For this exercise you don't move the pegs (unlike the exercise "Stick it"). You preplace the sticks (minimum 4) so that they run from a low corner diagonally to the opposing high corner. You have to see for yourself which distance is feasible for you. You can always increase the distance later.

You start at the lower corner with both hands on one peg (you can also start on 2 positioned parallelly, if you have enough pegs). Now lock off and do a cross over to the next element and directly lock off the next one (without matching). Do that until you have reached the last element and then jump off. Of course you also have to train the other side so don't forget to place the pegs the other way round.

Method: Depending on the number of pegs you should be able to do 3–5 repetitions. Perform 2 sets on each side, resting for 3 minutes in between.

Diese Übung verbessert vor allem deine maximale Blockierkraft.

This exercise especially improves your maximum lock-off power.

GO CLIMB A ROCK

**»Kraft ist eine Komponente mit der man nie vollkommen zufrieden ist. Es gab in meiner Kletterkarriere nicht einen einzigen Moment in dem ich gesagt habe: Ich bin mit meiner Kraft zufrieden.
Kraft ist ein ständiger Prozess an dem man arbeitet, und der nie zu Ende ist.
Kraft ist wie ein ewiger Fluß.«**

»Power is one component that you are never entirely content with. I don´t recall a single moment throughout my career where I could honestly say that I was totally happy with my power. For me power is a steady process that you work on to improve and which never finds an end. In this sense power is like an eternal river.«

Stefan Glowacz

Stefan Glowacz, Jahrgang 1965, war mehrmaliger Rockmaster in Arco, kletterte als einer der ersten Menschen bis 8c Rotpunkt und tummelt sich heute vornehmlich fernab jeder Zivilsation in schwierigsten Mehrsseillängentouren.

Stefan Glowacz, born 1965, has won the prestigious Rockmaster in Arco multiple times, he was one of the first climbers to redpoint an 8c-route. He also enjoys hanging out in desperately hard multi-pitch routes as far from civilization as possible.

Slingtrainer

Der Slingtrainer wurde zum ersten Mal im Bereich des Rehabilitationssports eingesetzt und ist mittlerweile sowohl im Fitness- als auch im Leistungssport angekommen. Er basiert auf dem Prinzip des funktionellen Krafttrainings, bei dem nicht isoliert mit bestimmten Muskelgruppen trainiert wird, sondern der ganze Körper an der Bewegung beteiligt ist. Dies hat verschiedene Vorteile:

Es wird nicht nur ein einzelner Muskel isoliert trainiert, sondern zusätzlich das Zusammenspiel der Muskeln in Muskelketten/-schlingen verbessert. Das führt zu einer ökonomischeren Bewegungsausführung.

Die Muskulatur des Rumpfes kommt im funktionellen Training als Bindeglied der Kraftübertragung zwischen den Gliedmaßen des Ober- und Unterkörpers eine Schlüsselrolle zu. Da beim Slingtraining stets ein Großteil des Körpers an den Übungen beteiligt ist, wird die Muskulatur im Mittelkörperbereich (Core-Muskulatur) meist mittrainiert (siehe: Core-Training).

Bei den Slingtrainer-Übungen wird meist Haltearbeit des Körpers mit intensiven Bewegungsreizen gekoppelt, da das Trainingsgerät instabil ist. Dies verbessert die so genannte „Tiefensensibilität" des Körpers, bei der es zu einer reflektorischen Stabilisation des Körpers unter neuen Bewegungsanforderungen kommt.

Ein Nachteil dieses funktionellen Krafttrainings ist, dass die Intensität der Reize für einen stetigen Kraftzuwachs oft nicht ausreicht. Der Slingtrainer findet daher vor allem als Ergänzung zu anderen, intensiveren Formen des Krafttrainings und im Ausgleichstraining Verwendung.

Mittlerweile existieren viele verschiedene Varianten des Slingtrainers. Allen gemeinsam ist die instabile Aufhängung an Seilen. Die fortgeschrittenen Versionen sind in Rollen gelagert (wie der von uns verwendete), die Profi-Versionen weisen zusätzliche Erschwerungen durch Verlängerung der Krafthebel auf (Matros-Master). Du kannst dir einen Slingtrainer einfach und kostengünstig selbst zusammenbauen oder im Fachhandel kaufen.

Slingtrainer

The slingtrainer has been used for the first time in rehabilitation and physiotherapy and has now established itself in fitness and competitive sports as well. The idea of the slingtrainer is based on the concept of functional strength training, where the whole body is exercised instead of isolated muscle-groups.
The advantages of this approach are:

The interaction of the muscles in muscle chains/slings is improved. In contrast to an isolated training of certain muscles this leads to more economic movements.

The muscles of the trunk play a key role as a connective link between the extremities of the upper and the lower body. Since there's always a major part of the body involved in the exercises, the muscles of the trunk participate automatically in this kind of training.

During slingtrainer exercises the static effort of the body is being linked to intensive motion stimuli because the training device is unstable. This improves proprioception and leads to a reflectoric stabilisation of the body through constant motion stimuli. Balance and physical sensitivity are therefore improved.

Nowadays a variety of slingtrainer types and variations exist. They all have in common an instable mounting on ropes. The advanced models (like the one we use) are attached to pulleys and offer increased difficulties with different lever positions. You can either choose the inexpensive way and build a slingtrainer yourself or buy one in a specialized shop.

Gimme Kraft!

1
2
3

Roll On, Roll Offs

  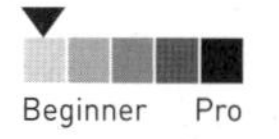

Du startest die Übung im sogenannten Schwebesitz. Das heißt, du setzt dich auf den Boden, deine beiden Füße sind im Slingtrainer fixiert. Sie befinden sich 10-20 cm über dem Boden. Nun stützt du dich auf die Hände. Beachte dabei, dass deine Ellbogen gestreckt sind und deine Schultern nicht Richtung Hals absacken. Ziehe deine Schultern nach hinten unten und versuche, sie in dieser Haltung zu fixieren. Jetzt schiebst du deine Hüfte nach vorne und hebst sie gleichzeitig soweit es geht an. Im Idealfall bildet deine Rumpf-Bein-Partie eine waagrechte Linie. Halte diese Position kurz und kehre dann in die Ausgangsposition zurück.

Methode: Grundsätzlich ist es bei dieser Übung wichtig, in der Ausgangs- und Endstellung kurz inne zu halten, um den Körperspannungsreiz zu erhöhen. Führe 8–12 Wiederholungen (einmal hin und zurück = eine Wiederholung) in mittlerer Geschwindigkeit aus (= 1 Satz). Dann machst du 2 Min. Pause und wiederholst das Ganze.

Start the exercise in a so-called "hovering" position. Sit down on the ground and fix your feet in the slingtrainer 10–20 cm above the floor. Straighten your arms and shift your weight to your hands. Make sure that your shoulders don't sag towards your neck. Pull your shoulders backwards and downwards and try to hold them fixed in that position. Move your hips forward and lift them upwards as high as you can. Ideally your trunk and legs form a straight line. Hold this position and then return to your initial position.

Method: During this exercise it is important to hold the starting and end positions to increase the body-tension stimulus. Perform 8–12 repetitions (back and forth = 1 repetition), which equals one set. Take a 2-minute rest and repeat.

! Diese Übung trainiert deine Körperspannung in Bewegung. Dabei werden vor allem die Stützschlinge des Oberkörpers und deine stabilisierende und bewegende Rumpfmuskulatur beansprucht.

This exercise trains the body tension in motion. It trains especially the supporting sling of the upper body and the muscles of the trunk.

1
2
1a
2a

Leg-Pulls

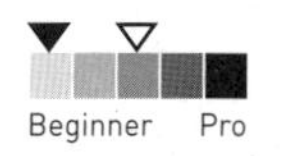

Du befindest dich in der Liegestützposition, die Füße sind im Slingtrainer fixiert (Höhe über Boden: je nach Körpergröße sollte der Körper im Liegestütz waagrecht in der Luft liegen). Nun ziehst du deine Beine Richtung Brust, das Gesäß hebst du dabei nach oben. Anschließend streckst du deine Beine wieder.

Methode: Führe 8–12 Wiederholungen (einmal hin und zurück = eine Wiederholung) aus (= 1 Satz). Dann machst du 2 Min. Pause und wiederholst das Ganze.

Schwerere Varianten:

Du ziehst deine Beine mit einer Rotation seitlich neben dem Körper abwechselnd rechts und links nach vorne.

Du stützt dich mit den Händen nicht am Boden, sondern in den frei hängenden Ringen ab.

Start in a push-up position with your feet fixed in the slingtrainer (the height depends on your body size but ideally your body should be in a horizontal push-up position). Pull your feet towards your breast by lifting your buttocks. Then straighten your legs again.

Method: Perform 8–12 reps (there and back = 1 repetition), which equals one set. Take a 2-minute rest and repeat.

Advanced variations:

Pull your legs forward in a rotating motion, alternating left and right, to the side of your body.

Base your hands on rings instead of on the ground.

! Diese Übung trainiert deine Körperspannung in Bewegung. Dabei werden vor allem die Stützschlinge des Oberkörpers und deine stabilisierende und bewegende Rumpfmuskulatur beansprucht.

This exercise trains the body tension in motion. It trains especially the supporting sling of the upper torso and the muscles of the trunk.

1
2
1a
2a

Sling Push Ups

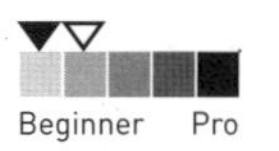

Du nimmst eine Liegestützposition ein, deine beiden Füße hängen im Slingtrainer. Dein Arm-Rumpf-Winkel sollte 90° betragen, darauf musst du bei der Höheneinstellung der Schlaufen des Slingtrainers achten. Nun führst du Liegestütze aus. Versuche dabei, deinen Rumpf und deine Beine möglichst ruhig zu halten. *Wichtig:* spanne während der ganzen Übung deine Gesäß- und Bauchmuskulatur an. Achte darauf, kein Hohlkreuz zu machen.

Methode: Führe 8–12 Wiederholungen aus (= 1 Satz). Dann machst du 2 Min. Pause und wiederholst das Ganze. Du kannst dich bei dieser Übung schnell steigern. Wenn du mehr Wiederholungen schaffst, ist das kein Problem, allerdings trainierst du dann eher deine Kraftausdauer.

Varianten:

Nur ein Bein im Slingtrainer fixieren.

Du stützt dich nicht mit den Händen ab, sondern auf deinen Unterarmen.

Get into a push-up position and put both your feet in the slings. Your arm-to-trunk-angle should be 90 degrees. Consider this when you adjust the height of the slings. Perform push-ups and try to hold your trunk and legs as steady as possible.
Important: flex the muscles of your buttocks and your abdominals/stomach to avoid a hollow back.

Method: Perform 8–12 repetitions, which equal one set. Rest for 2 minutes and repeat. A quick increase in repetitions comes naturally. This is not a problem, but you should keep in mind that you train mostly your strength-endurance then.

Variants:

Fix only 1 leg in the slingtrainer.

Instead of leaning on your hands you lean on your forearms to perform the push-ups.

Diese Übung ist ein klassisches Antagonistentraining für das Klettern. Du trainierst damit die gesamte Stützschlinge deines Oberkörpers und deine Mittelkörperspannung (Core-Muskulatur).

This exercise is a classic antagonist training for climbing. It trains the supporting sling of your upper torso and your body-tension (abdominals and legs).

Rotated Leg Pulls

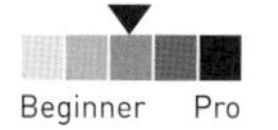

Es bedarf ein wenig Übung, um die Rotated Leg Pulls korrekt auszuführen. Du stützt dich einarmig mit deinem Unterarm am Boden ab. Deine beiden Füße liegen in den Schlaufen des Slingtrainers. Du hebst deinen Rumpf an und bringst dich in eine seitliche Stützposition. Nun ziehst du deine Beine Richtung Rumpf an und rotierst dabei gleichzeitig im gesamten Oberkörper, so dass dein Rumpf in der Endposition mit angezogenen Füßen waagrecht in der Luft liegt.

Wichtig: Versuche möglichst wenig von deiner Körperlängsachse abzuweichen und achte darauf, dass du möglichst sauber in die Ausgangs- und Endposition rotierst.

Methode: Führe ca. 6 Wiederholungen pro Seite in einer zügigen Bewegungsgeschwindigkeit aus (= 1 Satz). Du kannst auch Endkontraktionen am Ende der Bewegungsphase mit einbauen. Dazwischen machst du 2 Min. Pause und wiederholst das Ganze noch einmal.

To perform the Rotated Leg Pulls correctly some practise is needed. Lean on one forearm on the ground with both your feet in the slingtrainer. Raise your trunk and move yourself into a sideward support-position. Pull your legs toward your trunk and rotate your upper-body simultaneously so your trunk is in the air with bent legs when you've reached the end position.

Important: Try to deviate from your body axis as little as possible and try to rotate in the starting and end position as precisely as possible.

Method: Perform 6 repetitions, which equal one set. Take a 2-minute rest and repeat.

! Dies ist eine sehr komplexe Übung. Du trainierst damit die stabilisierende, aber vor allem die bewegende Muskulatur des Mittelkörperbereiches. Durch die Rotation im Rumpfbereich werden sämtliche Anteile (gerade, schräg und quer) deiner Bauchmuskulatur trainiert.

This is a very complex exercise where you train body tension in motion. Through the rotation of the trunk all parts of your abdominals (straight, inclined, traverse) are trained.

1
2

Wings

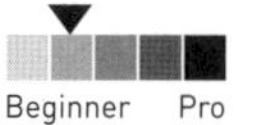

Du stehst seitlich zum Slingtrainer und nimmst beide Griffe in eine Hand. Dann legst du deinen Oberkörper in den gestreckten Arm, wobei dieser die Griffe des Slingtrainers nach außen schiebt. Achte unbedingt darauf, dass deine Schulter nicht Richtung Hals absackt, sondern stabil bleibt.

Hast du die für dich maximale Schräglage erreicht, drückst du deinen Körper mit dem gestreckten Arm wieder nach oben. Dabei solltest du auch in der Hüfte stabil bleiben und nicht abknicken.

Methode: Führe 8–12 Wiederholungen in mittlerer Bewegungsgeschwindigkeit aus und halte am Ende der Extensionsphase ca. 3 Sek. die Spannung (= 1 Satz). Dann machst du 2 Min. Pause und wiederholst das Ganze.

Position yourself laterally to the sling trainer and grab both holds with one hand. Put the weight of your upper body onto the straightened arm while moving the holds of the slingtrainer outwards. Ensure that your shoulder is not sagging towards your neck. Remain stable!

Once you have reached your maximum inclined position push your body upwards with straightened arms. Remain stable in the hip.

Method: Perform 8–12 repetitions at medium speed. At the end of.the movement (extension phase) freeze for about 3 seconds (= 1 set), Rest for 2 minutes and repeat.

! Diese Übung stabilisiert deine Schulter. Beteiligte Muskeln sind vor allem der Pectoralis Major, der Latissmus Dorsi und der Teres Major.

This exercise stabilizes your shoulder. The involved muscles are the Pectoralis Major, the Latissimus Dorsi and the Teres Major.

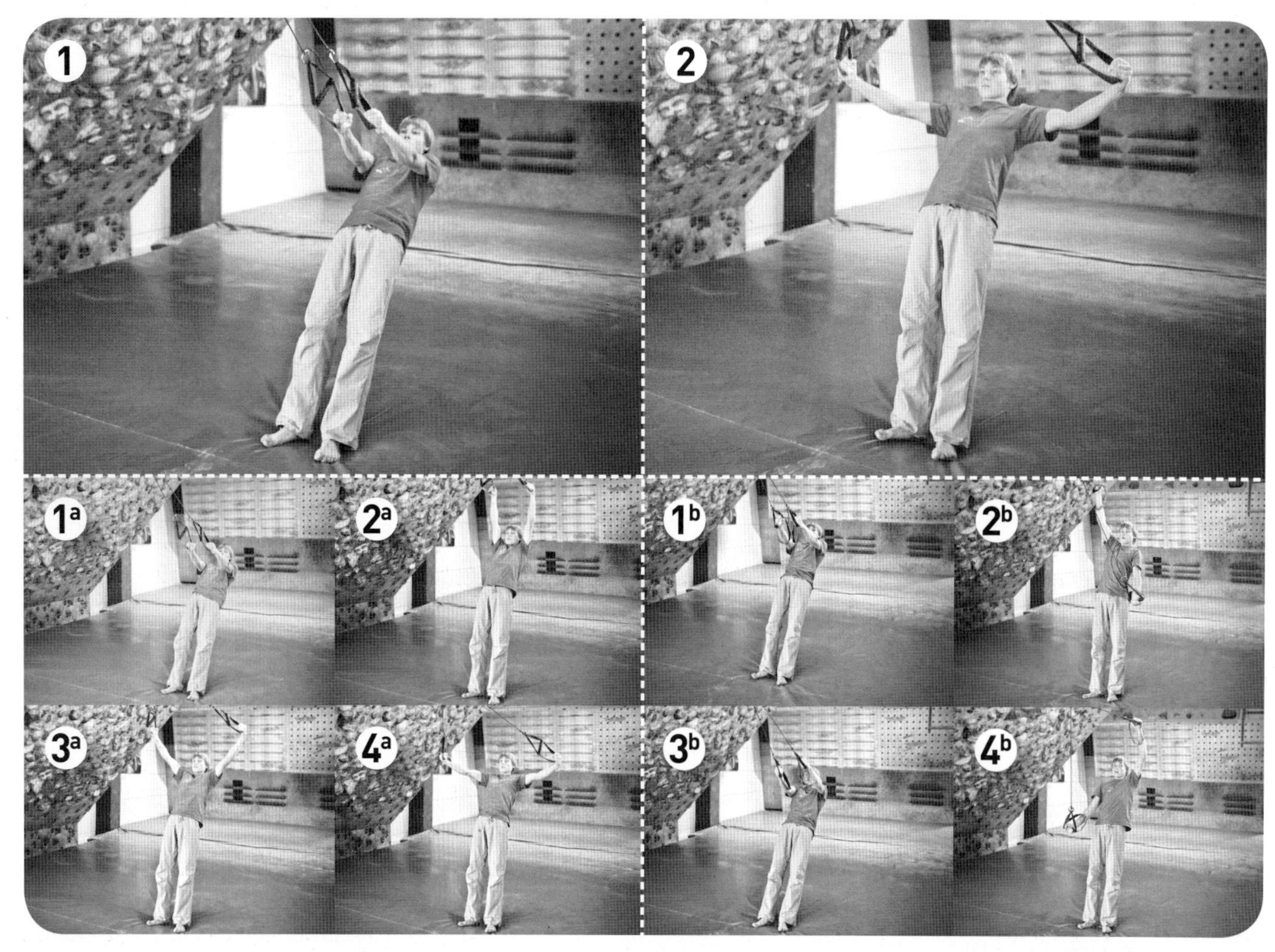

1
2
1a
2a
1b
2b
3a
4a
3b
4b

Butterflys Reverse

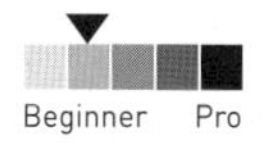

Nehme im Stand die Griffe des Slingtrainers mit ausgestreckten Armen in die Hände. Nun legst du dich mit gestrecktem Oberkörper nach hinten. Die Schwierigkeit bestimmst du durch den Abstand deiner Füße zum Aufhängepunkt des Slingtrainers (je steiler der Körper liegt, desto schwerer wird die Übung). Halte deinen Kopf stabil und aufrecht, deine Schultern ziehen nach hinten unten. Nun ziehst du mit möglichst gestreckten Armen nach außen.

Wichtig: Schulterposition und Außenrotation im Arm stabil halten. Deine Handrücken zeigen stets in Zugrichtung.

Methode: Führe 8–12 Wiederholungen in mittlerer Bewegungsgeschwindigkeit aus und halte am Ende der Kontraktionsphase ca. 3 Sek. die Spannung (= 1 Satz). Auch leichte Endkontraktionen sind möglich (siehe Video). Dann machst du 2 Min. Pause und wiederholst das Ganze.

Varianten: siehe Video/Fotos.

Take the holds of the sling trainer with straightened arms in an upright position. Lean backwards with your upper body straightened. The steeper the position of the body the harder the exercise. The distance from your feet to the mounting point determines the difficulty. Hold your head in a stable and upright position with your shoulders pulling back and downwards. Pull outwards with your arms straightened as much as possible.

Method: Perform 8–12 repetitions, which equal one set. Hold in end position for approximately 3 seconds. Rest for 2 minutes and repeat.

Variations:

First move your straightened arms upwards ("I"), then with a 90 degree bending angle at the elbow ("Y") and finally, as described, sideward in a straightened position ("T") and repeat this sequence.

Diese Übung stabilisiert deinen Schultergürtel und wirkt dem klassischen „Schildkrötenoberkörper" des Kletterers entgegen. Sie beansprucht den hinteren Teil des Deltoideus, den mittleren und unteren Teil des Trapezius und die Außenrotatoren deiner Schulter.

This exercise stabilizes your shoulder girdle and antagonizes the classic „climber's hunchback" climbers often develop. It trains the back part of the Deltoid, the middle and lower part of the Trapezius and the outer rotators of your shoulder.

1
2
3
4

Folder

Du befindest dich in der Liegestützposition, deine Füße sind im Slingtrainer aufgehängt. Nun klappst du mit gestreckten Beinen abwechselnd zur linken und zur rechten Seite.

Methode: Führe 6–8 Wiederholungen pro Seite aus (= 1 Satz). Dazwischen machst du 2 Min. Pause und wiederholst das Ganze noch einmal.

Start in a push-up position with your feet in the slingtrainer. Fold with straight legs alternating towards left and right side.

Method: Perform 6–8 repetitions, which equal one set. Rest for 2 minutes and repeat.

! Mit dieser Übung trainierst du vor allem deine Körperspannung (Bauch und Beine).

This exercise especially trains your body tension (abdominals and legs).

»Kraft ist, wenn man an jedem Griff den Arm krumm machen kann!«

»Power is the ability of being able to lock off any hold I want.«

Monika Retschy & Jule Wurm

Jule Wurm & Monika Retschy (Jahrgang 1990 & 1991) sind die Speerspitzen der deutschen Wettkampfszene. Jule ist mehrfache deutsche Meisterin im Vorstiegsklettern und Bouldern und stand auch bei Boulder-Weltcups auf dem Treppchen. Monika gewann unter anderen diverse deutsche Bouldercups.

Jule Wurm & Monika Retschy, born 1990 / 1991, are the two top-notch climbers of the German competition scene. Jule is a multiple national champion in the disciplines Lead and Boulder and has also been successful on an international level where she made it to the podium multiple times. Among many other comps, Monika has won various Boulder Cups in Germany.

ProTip

»Meine wichtigste Trainingsphilosophie lautet: mich im Winter selbst durch Training in der Halle fit zu halten und im Sommer direkt am Fels zu trainieren. Für meine Projekte gehe ich einfach direkt an die Wände und probiere die einzelnen Züge. Das bringt's für mich am meisten und dadurch kann ich mich am besten motivieren.«

»My philosophy of training is trying to stay fit throughout winter by climbing in the gym. In summer I train by climbing rocks. Once I have a project I just go there and try the single-moves. This turns out to be most effective for me and motivates me the most.«

Babsi Zangerl

Barbara Zangerl, Jahrgang 1988, rockte zunächst über der Bouldermatte unglaublich das Haus und kletterte als erste Frau einen 8b Boulder. Nach einem Bandscheibenvorfall verlagerte sie ihren Schwerpunkt aufs Seilklettern und tickte auch dort sowohl schwerste Sportkletterrouten, Mehrseillängenrouten als auch zum Beispiel „End of Silence" 8b+.

Barbara Zangerl, born 1988, hit the headlines by becoming the first woman to climb an 8b boulder with Pura Vida in Magic Wood. After a disc-prolapse she stopped bouldering and shifted her focus to rope-climbing and soon started ticking the world's hardest, including the multi-pitch-testpiece "End of Silence" (8b+).

Café Kraft
Café Kraft
Café Kraft
Café Kraft
Café Kraft
Café Kraft

In diesem Kapitel haben wir Übungen am Boden und am Übungsbarren zusammengefasst. Es kommt auch eine Übung vor, die man im Sitzen durchführt. Bei einer Bodenübung kommt auch der Pezziball zum Einsatz.

Boden erklärt sich von selbst, den Übungsbarren werden wir kurz erläutern:

Es handelt sich hierbei um ein barrenähnliches Übungsgerät, wobei der Abstand der Holme zum Boden, im Gegensatz zum normalen Barren, nur ca. 30 cm beträgt. Die Verletzungsgefahr durch einen Absturz wird somit minimiert. Im Turnsport wird damit geübt, bevor es an den richtigen Barren geht. In unserem Fall wird er hauptsächlich für Ausgleichsübungen der Stützmuskulatur und Körperspannungsübungen eingesetzt. Es gibt verschiedene Versionen, wobei wir für unsere Übungen die etwas teureren Übungsbarren aus dem Turnsport benutzen, da sie im Gegensatz zu den preisgünstigen sogenannten „Parallettes" wesentlich stabiler sind und die Holme den Durchmesser von richtigen Barrenholmen haben. Dies ist für Stabilisation in den Handgelenken vorteilhaft.

Boden & Minibarren
Floor & Minibars

In this chapter we have summarized different exercises on the practice bars and on the floor. One of the exercises is also performed sitting and one includes the use of the Pezziball. The floor is somewhat self-explanatory but the practice bars need some further explanation. The practice bars are a training device similiar to the bars. The difference between the two devices is that on the practice bars the bars are only 30 cm above the ground, hence the danger of injury is minimized. The practice bars are used in gymnastics as a preliminary step before the "regular" bars. In our case they are used mainly for compensatory exercises for the supporting muscles and for body tension practice. Different models of practice bars are in use but for our exercises we have chosen a more expensive model from gymnastics. It not only proved to be more stable in comparison to the cheaper so-called „parallettes" but also offers the correct bar diameter that is needed for a proper stabilisation of the wrist.

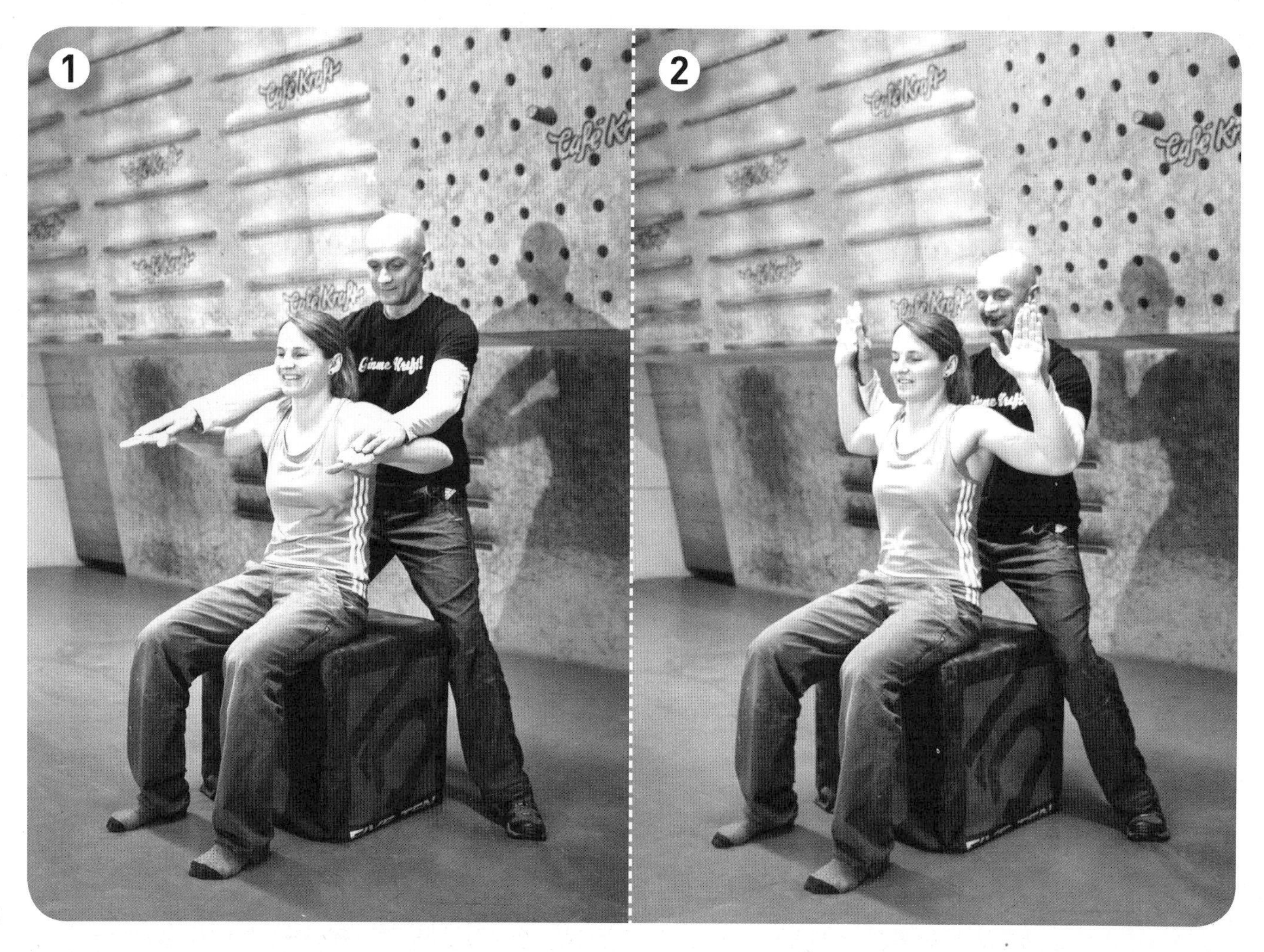
1
2

Goodmornings

Bei dieser Übung darfst du ausnahmsweise einmal sitzen. Allerdings nicht, um dich auszuruhen. Wenn du auf einem Hocker, Würfel, oder was auch immer Platz genommen hast, hebst du deine Arme soweit seitlich an, bis sie mit deinen Schultern eine Linie bilden. Nun führst du deine Unterarme so weit nach vorne, bis deine Ellenbogengelenke einen 90° Winkel beschreiben.

Jetzt drehst du deine Unterarme nach oben, während dir dein Partner, der hinter dir steht, dosiert mit seinen Händen Widerstand gibt.

Methode: Mache 8–10 Wiederholungen, davon 2–3 Serien. Dazwischen ca. 2 Min. Pause.

This exercise is a welcome exception because you are allowed to sit down. Don't cheer too soon, because it's not for resting. Take a seat on a stool, cube or whatever you have and lift your arms until they are at shoulder level – your arms and shoulder should form one line. Now move forward your forearms until your elbows are at an 90-degree angle.

Turn your forearms upwards while your partner (who is standing behind you) applies a well-dosed resistance against that motion.

Methode: Perform 8–10 repetitions and 2-3 sets. Take a 2-minute rest in between sets.

! Diese Übung ist eine der wenigen in unserem Programm, die eine Muskelgruppe (Außenrotatoren deines Schultergelenks) nahezu isoliert trainiert – eine prima Prophylaxe gegen einseitige Beanspruchung und Abnutzung v.a. von Sehnen-Strukturen im Bereich des Schultergelenks.

This exercise is one of the few in our program that trains one muscle group almost entirely isolated: The external rotators of your shoulder joint. This is a great prophylaxis against one-sided stress and abrasion of tendon structures in the area of the shoulder joint.

1
2
3
4

Push-Up Rotations

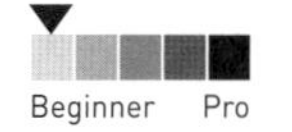

Du gehst in Liegestützposition und rotierst seitwärts, indem du einen Arm vom Boden löst und ihn soweit gestreckt anhebst, bis sich dein Körper automatisch zu drehen beginnt.

Sobald du in einer vertikalen Position bist, hältst du kurz die Spannung (Liegestütz seitlich; kein Absacken in der Hüfte!), dann drehst du weiter. Wenn du etwas über der Hälfte der Drehung bist, bringst du die Hand hinter deinem Rücken wieder auf den Boden zurück und bringst dich in den Liegestütz rücklinks. Jetzt die andere Hand lösen und den Körper weiterdrehen, bis du wieder im Liegestütz vorlings bist.

Methode: Rotiere 2–3 mal in die eine Richtung und dann dasselbe in die andere Richtung. Davon machst du 2 Serien mit 1–2 Min. Pause dazwischen.

Get into a push-up position and rotate sideways by lifting your arm off the floor. Raise it and keep it straight until your body automatically starts to rotate.

When you have reached a vertical position try to keep the tension shortly (lateral push-up – no sagging of the hips!) and continue rotating. When you have performed more than half of the rotation you move your hand behind the back until you reach the floor to gain a backwards/reverse push-up position. Now lift the other hand and rotate your body until you reach a "normal" push-up position again.

Method: Rotate 2–3 times in one direction and then repeat in the opposite direction. Perform 2 sets with a 1–2 minute rest.

! Auch eine Übung, die sehr zum Einstieg in das Training der Stützmuskulatur geeignet ist. Sie stärkt vor allem deinen Schultergürtel und deinen Körperkern.

This exercise is perfect for getting started with the training of the supporting muscles.

1
2
3

Swiss Handplant with Pezziball

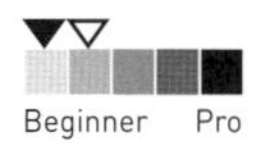

Du gehst in Liegestützposition und legst dabei deine Beine, etwa in Kniehöhe, auf einen Pezziball. Nun ziehst du deine Beine gestreckt an, dein Oberkörper wandert nach vorn und deine Hüfte nach oben. Dann wieder zurück in die Ausgangsposition.

Methode: Wiederhole die Bewegung 8–10-mal und mache 2–3 Serien. Dazwischen eine Pause von 1–2 Min.

Schwerere Variante:

Bist du am höchsten Punkt angekommen, hilft dir dein Partner mit dem Oberschenkel-Klammergriff, um dich komplett in den Handstand zu drücken. Dort hältst du einige Sekunden das Gleichgewicht und senkst deine Beine anschließend wieder Richtung Pezziball. *Achtung:* Sprich dich mit deinem Partner bei der Hilfestellung gut ab (er muss dir auch beim Absenken aus dem Handstand helfen und übe nur auf einer Matte!).

Get into a push-up position and put your legs on the Pezziball at knee-height. Pull your legs towards your head while keeping them straight – your upper body moves forward and your hips upward. Resume starting position.

Method: Repeat 8–10 times and perform 2–3 sets. Take a 1–2 minute rest in between sets.

Advanced Variation:

At the point of your greatest reach, your partner pushes you into a full handstand by using the upper-leg clench. Hold your balance for a few seconds, then lower your legs towards the Pezziball. *Caution:* Talk to your partner and agree about his support – he must also help you during the lowering of the legs. Only practice on a mat.

! Diese Übung ist sehr gut zum Einstieg in das Training der Stützmuskulatur (Antagonistentraining) geeignet. Sie stärkt vor allem deinen Schultergürtel, deine Handgelenke und deine untere Rückenmuskulatur. Dies ist auch für einen stabilen Körperkern bedeutsam.

This exercise is perfect for getting started with the training for the supporting muscles (training of antagonists). It especially strengthens the shoulder girdle, your wrists and your muscles of the lower back which are very important for your core stability.

Reverse Balance

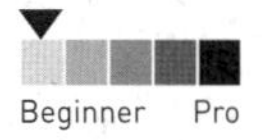

Du befindest dich im Liegestütz revers und hebst jeweils diagonal einen Arm und einen Fuß gleichzeitig an. Dann balancierst du diese Position aus und hältst dich für mehrere Sekunden. Anschließend wechselst du Arm und Bein.

Methode: Führe 8–12 Wiederholungen in mittlerer Bewegungsgeschwindigkeit aus und halte am Ende der Kontraktionsphase ca. 3 Sek. die Spannung (= 1 Satz). Auch leichte Endkontraktionen sind möglich (siehe Video). Dann machst du 2 Min. Pause und wiederholst das Ganze.

Variante:

Die Übung wird etwas leichter, wenn du dich nicht auf die Hände, sondern auf die Unterarme stützt.

Get into a revers push-up position and diagonally lift one arm and one leg simultaneously. Try to balance this position and hold it for a few seconds. Then switch arm and leg.

Method: Perform 8–12 repetitions, which equal one set. Hold end position for approximately 3 seconds. Take a 2-minute rest and repeat.

Variation:

The exercise automatically becomes easier when you rest on your lower arms instead of your wrists.

! Diese Übung ist eine Kombination aus leichten Körperspannungungstraining und funktionellem Training, bei dem du auch deine Gleichgewichtsfähigkeit mittrainierst.

This exercise is a combination of a light body tension training and functional training where you also practice your balance.

1
2
3

L-Sit

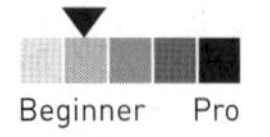

Auf den Holmen der Übungsbarren den Winkelstütz halten. Du setzt dich mit ausgestreckten Beinen zwischen die Holme der Übungsbarren.

Nun drückst du deine Arme und Schultern durch und hältst deine Beine im Winkelstütz mit ausgestreckten Beinen und Füßen für 10–20 Sek. Dann setzt du dich wieder ab. Versuche die Beine so gestreckt wie möglich zu halten, sie können durchaus auch leicht nach oben zeigen (je höher, desto schwerer).

Methode: Du versuchst dich 10–20 Sek. zu halten, dann machst du eine Pause von ca. 45 Sek. Dies wiederholst du 3–6-mal.

Variante:

Während der Übung ziehst du die Beine an und streckst sie wieder aus. Dies erhöht die Intensität der Übung.

The L-Sit is basically a position where you hold your legs away from your body, forming an "L". Start by sitting between the bars, legs straight.

Now push up with your arms and shoulders and hold the L-Sit with straight legs for 10-20 seconds, then sit down again. Try to keep your legs as straight as possible, they can also show slightly upwards (the higher the more difficult is the exercise).

Method: Try to maintain the position for 10–20 seconds, then rest for 45 seconds. Repeat 3–6 times.

Variation:

Tuck your legs up and straighten them again while performing this exercise. This increases the intensity.

Eine effektive, statische Bauchmuskelübung, die gleichzeitig deine Stützschlinge mittrainiert.

This is a very effective, static exercise for your abdominal muscles which simultaneously trains your upper extremety extensor sling.

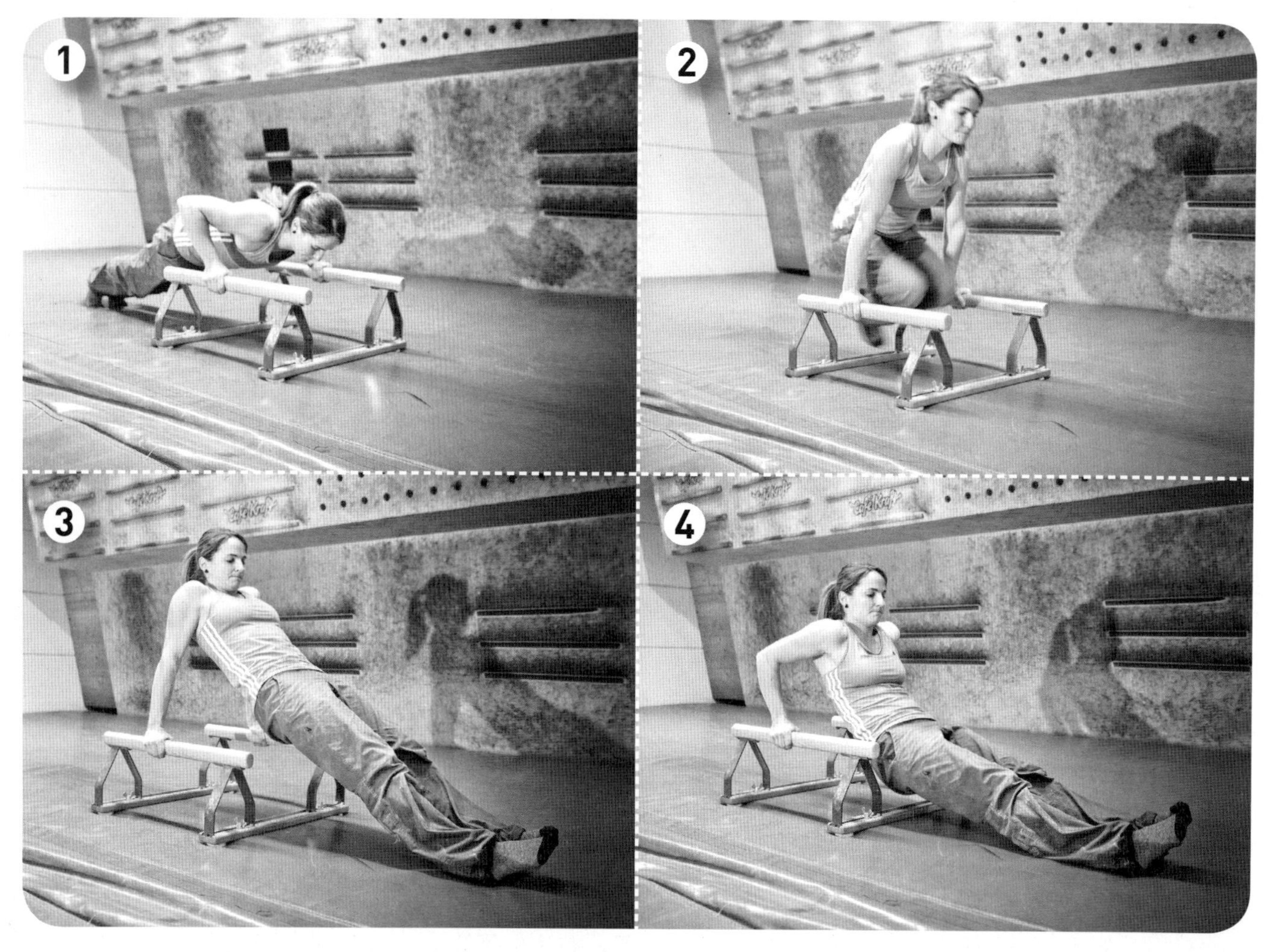
1
2
3
4

Push-Up into Dip

Im Wechsel machst du einen Liegestütz und anschließend einen Dip auf den Übungsbarren. Du beginnst mit einem Liegestütz mit den Händen auf den Holmen des Übungsbarrens. Nun stützt du dich auf den gestreckten Armen mit den Füßen nach vorne durch, indem du die Beine anziehst und den Körperschwerpunkt möglichst weit nach vorne bringst.

Anschließend streckst du die Beine aus und machst einen Dip. Jetzt das ganze wieder zurück und von vorne.

Methode: Mache pro Satz 5–8 Durchgänge (ein Liegestütz plus ein Dip = ein Durchgang/Wiederholung), 2–3 Sätze mit 3 Min. Pause dazwischen.

Switch between push-ups and dips on the practice bars. Start with your hands in push-up position on the bars. Stabilize with bent arms and your feet in front by moving your body's center of gravity as much forward as possible.

Then straighten your legs and perform a dip. Reverse the movements and start all over again.

Method: Perform 5–8 rounds per set (1 push-up + 1 dip = 1 round/repetition). 2–3 sets with a 3 minute rest in between sets.

Diese Übung trainiert deine Körperspannung und deine Stützschlinge ausgleichend zur beim Klettern beanspruchten Zugschlinge und beugt damit muskulären Disbalancen vor.

This exercise trains your body tension and the upper-extremety flexor sling. It helps you to counter the excessive strain on the upper-extremety flexor sling during climbing and therefore prevents muscular dysbalances.

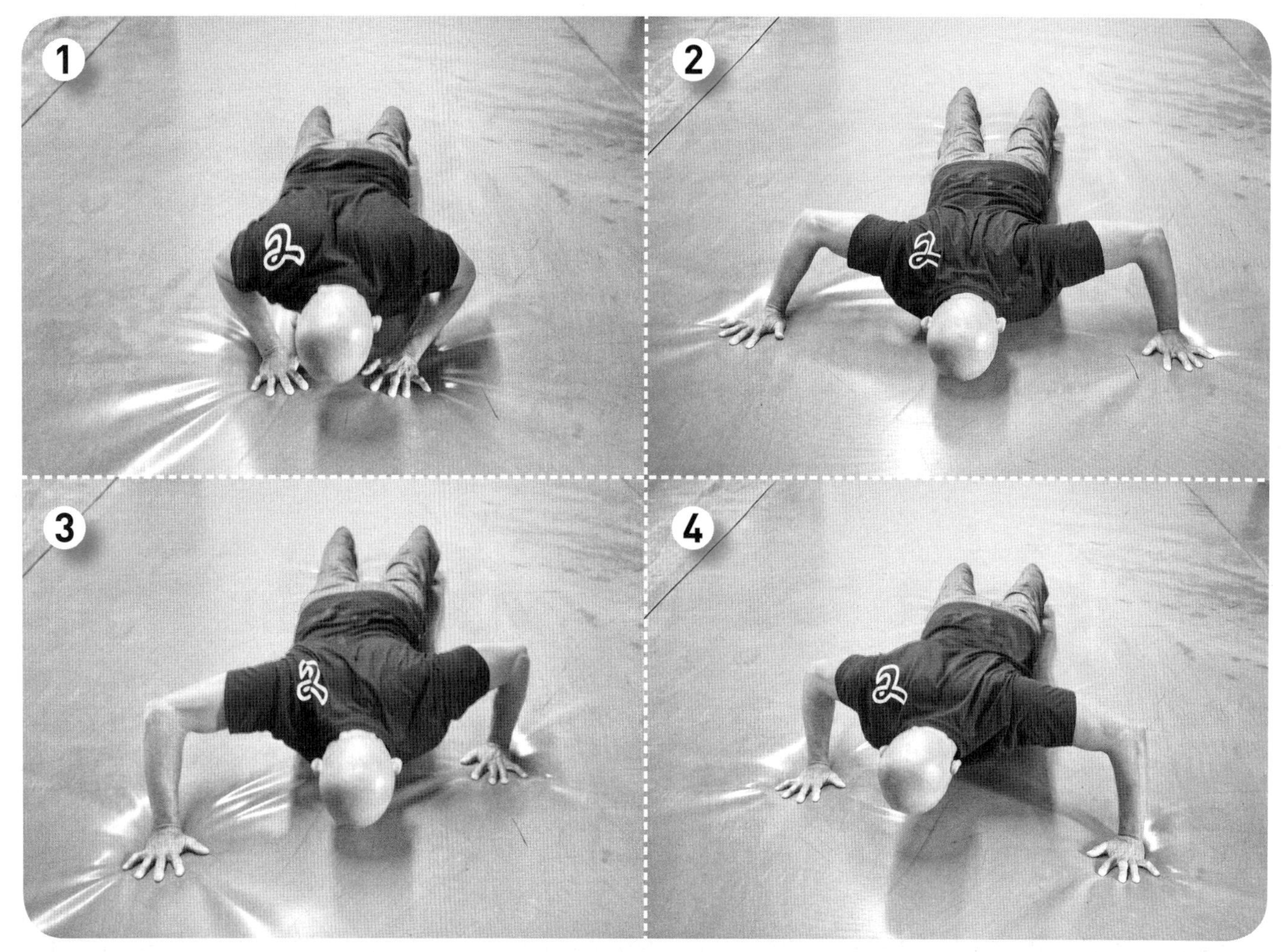
1
2
3
4

Dynamic Push Ups

Du beginnst damit, einen ganz normalen Liegestütz zu machen. Du stützt auf deinen Armen, beugst die Ellenbogen und senkst deinen Oberkörper ab.

Nun drückst du deinen Körper nicht langsam bis zügig nach oben, wie du es vom Liegestütz gewohnt bist, sondern beschleunigst dabei explosiv, so dass du in der Endstellung mit gestreckten Armen kurz die Hände vom Boden lösen und umsetzen kannst.

Du kannst mehrere Varianten von Hand-Stütz-Positionen ausprobieren: breiter Stütz, diagonaler Stütz, enger Stütz, Stütz hinter der Schulterachse.

Methode: Mache 8–10 Liegestütze, wobei du jedes Mal mit den Händen in eine andere Position umspringst.

Start with normal push-ups: Put your hands on the ground, bend your elbows and lower your upper torso.

Now don't push up in a slow and steady motion like a normal push-up. Instead accelerate explosively so you can detach your straightened arms and hands from the floor and then switch them into a different push-up position.

Variations are: hands positioned broadly / diagonally / closely / behind the shoulder-axis.

Method: Perform 8–10 push-ups and switch hands into a different position every time.

Diese Übung trainiert Deine explosive Stützkraft sehr effektiv.

This exercise trains your explosive strength.

1
2
3
4

Walking Push-Ups

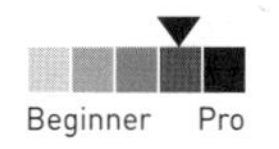

Während du Liegestütze machst, presst du deine Füße an die Wand, so dass dein Körper in einer waagerechten Position ist und läufst beim Ausführen der Liegestütze mit den Füßen so mit, dass dein Körper immer waagerecht bleibt. Wenn du also deinen Körper senkst, läufst du an der Wand nach unten, wenn du dich hochdrückst, läufst du nach oben. Versuche, mit den Füßen möglichst wenig Druck aufzubauen. Das heißt, du musst mit den Schultern vor deine Stützfläche (Hände) wandern.

Das erhöht den Trainingseffekt für deine Körperspannung. Falls deine Handgelenke schmerzen, drehe die Finger ein wenig nach außen.

Methode: Mache 6–8 Liegestütze (= 1 Satz), von diesen Sätzen machst du 2–3, dazwischen 2–3 Min. Pause.

Press your feet against the wall while doing a push-up. Maintain a horizontal position throughout the push-up by walking up and down with your feet: When you lower your body you walk down and when you push up you walk up. Build up as little pressure with your feet as possible. Therefore your shoulder axis should be in front of your hands.

This increases the training effect for your body tension. If your wrists start to hurt, turn your fingers a little bit outwards.

Method: 6–8 push-ups equal 1 set. Perform 2–3 sets with a 2–3 minute rest in between sets.

! Eine herausfordernde Variante, um Körperspannung in Kombination mit der Stützmuskulatur, vor allem der des Schultergürtels, zu trainieren.

This exercise is a demanding variation to train body tension in combination with the supporting muscles, especially the muscles of the shoulder girdle.

1
2
3
4

Tuck into L-Sit

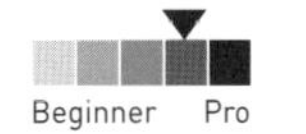

Du startest im L-Sit(z) und hältst für einige Sekunden die Spannung. Dann ziehst du deine Beine an und hebst den Rumpf nach hinten, ohne dabei den Boden zu berühren. Dabei musst du deine Schultern nach vorne schieben. In der Endposition ist dein Rumpf fast waagrecht.

Zur Erleichterung kannst du deine Arme in den Ellbogen bis fast 90° anwinkeln. Mit gestreckten Armen ist es um ein Vielfaches schwerer.

Methode: Du gehst 4–8-mal ohne abzusetzen vom Tuck in den L-Sit. Dann machst du 2 Min. Pause. Insgesamt 3 Sätze.

Wenn du den Tuck nicht richtig halten kannst, kann dein Partner dich unterstützen wie bei den Handplant Push-Ups.

Start in the L-Sit position and stabilize for a few seconds. Tuck up your legs and lift your trunk without touching the floor. Shift your shoulders forward. In the final position your trunk should be almost horizontal

To make the exercise a bit easier you can bend your arms up to 90 degrees. This exercise is a lot harder with straightened arms.

Method: Switch from tuck into L-Sit 4–8 times without lowering off then rest for 2 minutes (= 1 set). Perform 3 sets.

If you have problems stabilizing the tuck ask your partner for support (similar to the Handplant Push-Ups).

! Dies ist eine intensive und sehr universelle Übung. Dabei wird deine gesamte Stützschlinge, vor allem der Schultergürtelbereich, trainiert. Im L-Sit(z) trainierst du deine Bauchmuskulatur, im Tuck vor allem deine Rückenstrecker.

This is an intensive and universal exercise which trains the upper-extremety flexor sling, especially the muscles of your shoulder girdle. The L-Sit trains the abdominal muscles and the tuck trains the back's extensor muscles.

Handplant Push Ups

Du machst einen Handstand auf den Übungsbarren, wobei dir dein Partner die Beine unterstützend im Gleichgewicht hält (Oberschenkel-Klammergriff).

Nun gehst du in dieser Position mit dem Kopf nach unten und drückst dich wieder nach oben in den Handstand zurück. Senke dich am Anfang nicht zu weit ab, es wird schwer, dich wieder nach oben zu drücken! Um die Verletzungsgefahr zu verringern, stellst du den Übungsbarren auf eine Matte (z.B. Turn- oder Bouldermatte).

Ebenso ist es wichtig, dass du dich mit deinem Partner vorher abstimmst, wie du wieder auf die Füße kommst, wenn du keine Wiederholung mehr schaffst: Er hält dich an den Oberschenkeln, während du in der Hüfte abknickst und zurück auf die Füße gehst. Der Abstand der Barrenholme sollte etwa schulterbreit sein.

Methode: Mache 3-6 Wiederholungen pro Satz, 2–3 Sätze mit einer Pause von

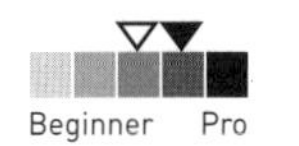

ca. 3 Min. Achte auf eine gleichmäßige Atmung (Ausatmen beim Hochdrücken, Einatmen beim Ablassen). Auf keinen Fall die Luft anhalten oder zu stark pressen, da die Blutzufuhr im Kopf stark steigt! Anfangs nicht zu tief absenken!

Variante:

Du stellst deine Füße auf eine Erhöhung, während du die Push Ups machst. Je näher die Füße bei den Händen sind und je höher die Erhöhung ist, desto schwerer wird die Übung.

Perform a handstand on the practice bars. Let your partner clench your thighs to support your balance.

Move downwards with your heaad and then push up again. In the beginning don't move down too far, you might not be able to push up anymore. Put your practice bars on a mat to minimize the risk of injury.

Talk to your partner about what to do when you can't do another repeat and how you get back on your feet: he/she clenches your thighs while you bend in your hips. The distance between the bars should be shoulder-wide.

Method: Perform 3–6 repetitions per set and 2–3 sets with a 3-minute rest in between the sets. Focus on continuous breathing (exhale when you push up, inhale when you lower your torso). Never hold your breath or press too hard because this could cause a dramatically increased blood flow to the brain. Don't lower your head too much at the beginning!

Variation:

Put your feet on a low wall or something similar while you perform the push-ups. The closer the feet are to the hands and the higher the elevation, the harder the exercises gets.

! Dies ist eine sehr intensive Ausgleichsübung für deine gesamte Stützschlinge, wobei besonders dein Trizeps und deine Schultermuskulatur trainiert werden.

This is a very intensive exercise for the upper-extremety flexor sling, especially for the triceps and the muscles of the shoulder. It helps to prevent muscular dysbalances.

Café Kraft

Bernd: Kraft kann man nie genug haben, das stimmt schon. Das andere ist einfach ein perfekter Tag, an dem die Sachen funktionieren. Da gehst du nicht hin und denkst Dir "Mei, ich bin so stark", sondern es ist eher der Zustand im Kopf. Oder auch, dass du schon beim aufwärmen merkst "Wow, es fühlt sich alles gut an". Weil ich glaube, dass die Kraft, wo ich meine schweren Projekte geklettert habe, war nicht besser als vorher wo ich sie nicht geklettert habe. Es war dann einfach der perfekte Tag, wo dann alles gepasst hat. Und da macht man dann die schwersten Routen. Es ist nicht so, dass ich in der Früh aufsteh und denke „Boah heut bin ich so fit, jetzt zerreiß ich's!" Das funktioniert nicht bei mir, ganz sicher nicht. Ich geh einfach immer nur bouldern und probier mein Projekt. Und je lockerer man beim Projekt landet, umso besser geht's.

Fred: Es ist ein Gefühl. Fitness spielt schon eine Rolle. Es gibt manchmal eine gute Welle und man spürt, dass es kommt. Manchmal spürt man auch gar nichts und es kommt doch noch. Manchmal denkt man es sollte gut gehen, aber nichts geht. Das passiert auch viel. Kraft ist wichtig, aber so wichtig? Ich weiß es nicht. Eine gewisse Fitnessbasis hilft einem natürlich die Ziele zu erreichen.

Bernd: Wenn ich eine Route probier, wo ich am Anfang fast keinen Zug zusammen bringe, und von da nach da rüber will, und ich brauche alles um diesen einen Zug zu machen, dann ist das eh schon Training.

Fred: Es ist vor allem Lust. Wenn es keine Lust gibt, gibt es auch keinen Sinn! Der Weg, von keinen Zug machen bis zum durchklettern, der macht Spaß.

Bernd: Die Motivation, die dahinter steckt, warum ich jetzt was erreichen will, steht sicher vor jedem Training. Dein Wille, deine Motivation, das ist es ...

Bernd Zangerl (links), Jahrgang 1978, ist Boulderer durch und durch. Neben der Wiederholung härtester Linien bis 8c fasziniert ihn vor allem die Erstbegehung neuer Boulder überall auf der Welt. Über 500 Probleme tragen seine Handschrift, auch gern abseits der üblichen Boulder-Tourismusziele zum Beispiel in Südamerika, China und Indien.

Fred Nicole (rechts), Jahrgang 1970, wird gern als DER Gottvater des Boulderns bezeichnet. Insbesondere in seiner Schweizer Heimat, den USA und in Südafrika hinterließ er wegweisende Erstbegehungen. Seine Boulder La danse des Balrogs 8b in 1992, Radja 8b+ in 1996 und Dreamtime 8c gelten als erste ihrer Art im jeweiligen Schwierigkeitsgrad.

Red Bull
Café

Bernd: It's absolutely true: you can never have enough power. Another thing is the perfect day where everything comes together. In this case you don't walk up to your project thinking "Man, I feel so strong today". It's rather your state of mind that makes the difference. You warm up and you think: "Wow, everything feels so smooth today". As far as all my hard projects go I don't think that I was any stronger when I climbed them compared to when I didn't. It was just a day where everything was perfect. I don't wake up in the morning and think: "Boah, I feel so fit, today I am gonna crank it!" That's not the way it works for me. Rather I just go bouldering, try my project and the more relaxed I approach it, the better it works.

Fred: It's a feeling. Fitness does play a role but mostly you're just tuned in and you can feel the wave coming. Sometimes I don't feel anything but still it keeps on coming but it can also be the other way round: I feel something but nothing happens. That happens quite often. Power is important but not everything. I don't know. Sure, a good foundation in fitness helps to accomplish your goals.

Bernd: When I try a route where I can't even do one move and I try it over and over again and throw everything in that I got, it's already some sort of training.

Fred: Most of all it has to do with joy. If there's no joy attached to the process, then it doesn't make sense. The whole process from the point where I can't even do one move to the final attempt where I do my project – that's the joy for me.

Bernd: The motivation of accomplishing things is in my case much stronger than the will to train. Your determination, your motivation - that's what it's all about...

Bernd Zangerl (left), (born 1978) is a boulderer to the core. He has repeated the hardest lines out there (up to 8c) and is fascinated with first ascending new boulders around the globe: He has done more than 500 of them. Many of those can be found off the beaten path and far from modern boulder hotspots e.g. in South America, China and India.

Fred Nicole (right), born 1970, is known as "the godfather of bouldering". Especially in his home-country Switzerland but also in the United States and South Africa, he accomplished groundbreaking ascents. His boulders La danse de Balrogs (8b), 1992, Radja (8b+), 1996 and Dreamtime (8c), 2000, were the first ones of its grade.

8

Sloperrails

Unsere Sloperrails sind horizontal angebrachte, gegenüberliegende Schienen, die mit verschiedenen Slopergriffen bestückt sind. An der Unterseite sind zudem einige Tritte befestigt.

Sloperrails eignen sich hervorragend für Hangel- und Körperspannungsübungen unter kletterähnlichen Bedingungen. Gleichzeitig werden bei jeder Übung an den Sloperrails deine Fertigkeiten trainiert, runde, abschüssige Griffe zu halten. Wir nennen dies „Sloperskills".

Our sloperrails are horizontal, opposing bars with sloper holds attached to them. On the bottom side there are few footholds.

Sloperrails are perfectly suited for body tension exercises and to move hand over hand. Your abilities to grip round, slopey holds are also trained ("sloper skills").

1
2
3
4

Twister

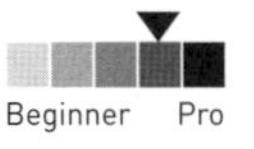

Du hängst dich an zwei gegenüberliegende Sloper. Nun versuchst du, einen möglichst weit entfernten Tritt (Spax) anzutippen, bzw. diesen kurz zu „angeln". Wenn keine Tritte vorhanden sind, kannst du auch einfach einen imaginären, weit entfernten Tritt auswählen.

Erst mit dem einen Fuß, dann mit dem anderen und wieder wechseln.

Methode: 6-mal Tritt angeln ist 1 Satz. Mache 4 Sätze mit einer Pause von 2 Min. dazwischen.

Variante:

Du versuchst nicht nur Tritte vor dir, sondern auch hinter dir zu angeln, indem du deinen Körper um 180° drehst.

Start on two opposite slopers. Now try to tap or briefly step on a far away foothold (spax). If there aren't any holds in sight you can as well imagine one.

Try to touch the foothold with one foot, then switch feet.

Method: Tapping a hold 6 times makes up for 1 set. Perform 4 sets with a 2-minute rest in between each set.

Variation:

Try not only to reach footholds in front of you but also behind you by turning your body 180 degrees.

! Ein kletternahes Training deiner Körperspannung, sowie deiner Fähigkeit Sloper zu halten, während du koordinativ gefordert bist.

This is a very climbing-specific exercise where you train your body tension as well as your ability to hold slopers while challenging your coordination.

1
2
3
4

Mr. Pressident

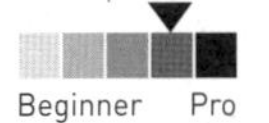

Starte am Anfang der Sloperrail an zwei gegenüberliegenden Griffen und hangle dich möglichst langsam bis zum anderen Ende der Rail und ohne Abzusetzen wieder zurück.

Methode: Da sich deine Sloperrails stark von unseren unterscheiden können, ist es nicht leicht, eine präzise Angabe zu Wiederholungszahl und Sätzen zu machen. Am besten du richtest dir deine Rails so ein, dass du es gerade so schaffst, 1-mal durchzuhangeln (bei ca. 6-10 Zügen = 1 Serie).

Mache dann 4–6 Serien mit 2–3 Min. Pause dazwischen.

Start at the beginning of the sloperrail on two opposite slopers and slowly move hand over hand until you have reached the end of the rail. Stay on the rail and move back to the start.

Method: Given the fact that your sloperrail might considerably differ from the one we use, a precise number of repetitions and sets is hard to give. We suggest that you assemble your rails in a way you are barely able to make it from one end to the other 1 time (approx. 6–10 moves = 1 set).

Perform 4–6 sets, resting 2–3 minutes between each set.

! Diese Übung trainiert deine Körperspannung unter Bewegung, die Muskulatur, die zum „Pressen" bei Sloperzügen wichtig ist (M. Pectoralis Major) und, je nach Pausenzeit, auch deine Kraftausdauer (Starte den nächsten Satz mit noch dicken Unterarmen). Natürlich werden auch deine „Sloperskills" verbessert.

This exercise trains your body tension in motion, the muscles that are responsible for "pressing" during slopermoves (e.g. M. Pectoralis Major) and, depending on how long you rest, also your strength-endurance (start the new set with still pumped forearms). Your "sloper skills" are being improved as well.

1
2
3
2a
2b
2c

Turn to Burn

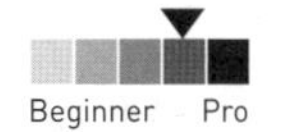

Hänge dich an zwei gegenüberliegende Sloper deiner Wahl und drehe deinen Körper um 180°, indem du eine Hand löst und auf die andere Seite der Sloperrail greifst, und dann mit der anderen Hand die Seite wechselst.

Methode: 2–4-mal 180° drehen, bzw. 1–2-mal 360° sind 1 Satz. Mache 4–6 Sätze, dazwischen 2–3 Min. Pause.

Variante:

Du drehst dich um 360°, was schon eine kleine koordinative Herausforderung ist.

Start at the beginning of the sloperrail on two opposite slopers of your choice. Turn your body 180 degrees by letting go one hand to reach for the other side of the sloperrail. Change sides by following with the other hand.

Method: 2–4 times turning 180° resp. 1–2 times 360° makes up for 1 set. Perform 4–6 sets with a 2–3 minute rest in between sets.

Variation:

Turn 360 degrees – quite a coordinative challenge!

! Eine sehr spezifische Übung! Koordination, Orientierung im 3-dimensionalen Raum und „Sloperskills" stehen hier im Fokus.

This is a very specific exercise! It trains coordination, orientation in 3-dimensional space and „sloper skills".

1
2
3
4

Flying Dutchman

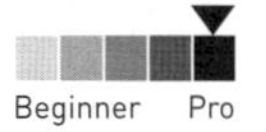

Versuche, die Sloperrail vom Anfang bis zum Ende mit Doppeldynos zu überwinden. Nutze dabei deinen Körperschwung aus und schnappe im „Toten Punkt" weiter zu den nächsten Slopern.

Methode: 1 Mal vom Anfang bis zum Ende der Sloperrail ist 1 Durchgang. Mache 4–6 Durchgänge und dazwischen eine Pause von 3 Min.

Variante: das Ganze rückwärts.

Try to make it through the sloperrail from one side to the other just by performing double dynos. Take advantage of the momentum and reach for the next sloper at the deadpoint.

Method: 1 time from the start to the end of the sloperrail = 1 round. Perform 4–6 rounds and rest for 2–3 minutes in between rounds.

Variation: Reverse the exercise.

! Explosivkraft, Koordination, Körperspannung in Bewegung und ... Sloperskills ;)

Explosive strength, coordination, body tension in motion and ... sloper skills ;)

For me, power is something I'm always striving for. I never feel like I've got enough of it. Endurance comes very easily, power I always have to work for. I feel like training is necessary for me to keep that power up. For me training your weaknesses is a huge thing and really helpful on that front is finding a climbing partner who is strong in aspects that you are not strong in. For me someone who does big powerful flowy dynamic moves. Naturally I'm good at little crimping problems that I can just crush through. In that way you get forced to work on your weaknesses. Having a trainer helps a lot or someone who can help you point in directions, give an outside perspective to what you're doing.
And the other thing that works for me extremely well is having a really structured goal, like something you really want to achieve. If you're just going ›I wanna train just to get stronger‹ , a vague goal, it doesn't work so well.
And you can break that down more and have one main goal but also make sure you have multiple little milestones along the way. Because if you just have your massive big goal out there in the future that also becomes unachievable.«

»Kraft ist eine Sache, die ich permanent anstrebe und bei der ich das Gefühl habe, nie genug davon zu haben. Ausdauer kommt beinahe wie von selbst. Kraft hingegen ist etwas, für das ich arbeiten muss. Ich habe das Gefühl, dass Training für mich notwendig ist, um diesen Zustand der Kraft aufrecht zu erhalten.

Es ist sehr wichtig für mich, im Training ganz spezifisch an meinen Schwächen zu arbeiten und und dabei war es immer von Vorteil, einen Kletterpartner zu haben, der genau da seine Stärken hat, wo ich sie nicht habe. In meinem Fall ist das jemand, der richtig gut bei großen dynamischen Powermoves ist, weil ich von meinem Kletterprofil her recht gut mit kleinen Griffen zurecht komme. Solche Unterschiede sind extrem wichtg, weil man dadurch gezwungen wird, an den eigenen Schwächen zu arbeiten. Ein Trainer ist natürlich extrem hilfreich: Jemand, der dir die richtige Richtung weist und dir eine Außenperspektive zu deinem Tun verschafft.

Außerdem ist es für mich sehr wichtig, ein strukturiertes Ziel vor Augen zu haben, also etwas, das ich unbedingt erreichen möchte. Wenn ich einfach nur sagen würde: ›Ich möchte trainieren, damit ich stärker werde‹, wäre mir das einfach zu unbestimmt und ich könnte mich nicht so motivieren.«

Mayan Smith-Gobat

Mayan Smith-Gobat, Jahrgang 1979, machte 2011 Schlagzeilen als sie eine freie Begehung der legendären „Salathé" am El Cap im kalifornischen Yosemite Valley verbuchen konnte. Big Walls unter kalifornischer Sonne haben es der Deutsch-Neuseeländerin angetan, denn sie hält derzeit auch den Speed-Rekord an der Nose für die schnellste Frauenbegehung.

Mayan Smith-Gobat (born 1979) hit the headlines in 2011 wenn she managed to free-climb the legendary "Salathé" on El Cap in Yosemite Valley. Big walls seem to be her thing since she also holds the record for the fastest female ascent of the equally legendary "Nose".

Training? Völliger Quatsch!

Vor nicht all zu langer Zeit zeigte man uns in der Sendung „Biwak" ein recht ausführliches Portrait von Ines Papert.

Es gab das übliche Eiszapfen-Gehacke zu bestaunen, aber auch wie die Lady sich in Sachsen wacker schnaufend an schwerem Fels bewies. Gegen Ende des Beitrags wurden wir dann in die Garage der sympathischen Bayerisch Gmainerin geführt, die aussah wie eine Mischung aus einem gut sortierten Bergsportladen mit Schwerpunkt Eisklettern und einem vollausgestattetem Domina-Studio.

Allerlei ausgeklügelte Folterwerkzeuge waren dort angebracht, Griffbretter und Campusboards zierten die kahlen Wände, eine Strickleiter baumelte herab und am Boden waren zwei Pauschen festgeschraubt, auf denen die gute Ines alsbald eine beindruckende Serie Liegestütze zu pumpen begann.

Man verriet uns, dass die Ice-Queen 30 (vermutlich eher freudlose) Stunden pro Woche in jenem Raum verbrächte und in austrainiertem Zustand 150 Klimmzüge hintereinander auszuführen in der Lage sei.

Ohne lange überlegen zu müssen versicherte ich mir, während meines ganzen Lebens in der Summe keine 150 Klimmzüge ausgeführt zu haben und wartete vergebens darauf, dass sich angesichts dieser Tatsache so etwas wie Bedauern einstellen würde. Moment mal: Habe ich denn überhaupt insgesamt 15 Klimmzüge gemacht? Doch klar auf dem Spielplatz früher, an einer kleinen Reckstange, da hatte ich das mal versucht, um mich den blöden Nachbarjungs zu beweisen, hatte aber schnell eingesehen, dass echter Lustgewinn damit nur schwerlich erzielbar ist. Später dann, als Kletterer, hängte man sich von Zeit zu Zeit an irgendwelche morschen Türrahmen und ächzte mit ihnen um die Wette, was aber natürlich hinsichtlich eines eventuellen Kraftgewinns stets folgenlos blieb. Mehr als drei hintereinander habe ich dabei meines Wissens nie geschafft.

Nein, die Erinnerung an den letzten erfolgreich durchgeführten Klimmzug ist bereits verblasst wie ... nun, ich wollte jetzt irgendwas mit Uli Hoeneß schreiben, mache das aber mal nicht.

Ich kann mir darüber hinaus ohne große Mühe eine unaufgeregt-urbane Geisteshaltung vorstellen, die Klimmzüge für eine besonders alberne Erscheinungsform männlichen Imponiergehabes, jedenfalls aber für etwas völlig Abwegiges hält. Ich zähle übrigens nicht wenige Menschen, Frauen wie Männer, zu meinem Bekanntenkreis, die ich als Anhänger einer solchen Geisteshaltung bezeichnen würde. Jene mir nicht völlig unsympathischen Zeitgenossen hegen gegenüber nicht durch existenzielle Nöte oder unmittelbare Bedrohungen motivierte körperliche Anstrengungen generell eine gewisse Skepsis.

Klimmzüge – meine Güte, wozu soll das gut sein?

Na, vielleicht um schwer Klettern zu können, werden die zahlreichen, bereits

ProTip

hinter meinem Bildschirm ungeduldig lauernden Kraftprotze jetzt einwenden. Ich hebe die Brauen, nehme diesen Einwand zur Kenntnis und erwidere: Was heißt denn schwer Klettern? Ich betreibe diesen wunderbaren Sport jetzt schon seit der Pubertät und bin immer – von Anfang bis heute – schwer geklettert, und das unter konsequenter Vermeidung jeglichen Trainings. Seit 1972, immer schwer. Also es fühlte sich schwer an und sah auch so aus. Ich war immer am Limit. Dafür braucht man kein Training – mangelndes Talent, unspezifische Physis und falsch gewählte Ziele reichen vollkommen aus, um sich in der schwersten Tour der Welt zu wähnen, das hat weder mit dem Schwierigkeitsgrad noch mit mangelndem Training irgend etwas zu tun.

Ich fühle mich auch keineswegs ertappt, wenn man mir meine allwinterlichen Ausflüge in eine nahe gelegene Boulderhalle mit der Behauptung vorhält, das sei doch wohl auch unter der Rubrik „Training" zu subsummieren. Ist es natürlich nicht. Ich bewege mich dort völlig unaufgeregt an riesengroßen Griffen bei meist moderater Steilheit, unterhalte mich mit netten Menschen, genieße den besten Cappuccino der Stadt und darf nach getaner Ertüchtigung ein Weißbier trinken. So sieht's aus. Ich schaffe es locker, meine Kalorienbilanz während der zwei dort verbrachten Stunden im positiven Bereich zu halten. Zur Not esse ich eben ein Stückchen Schokoladenkuchen zum Cappuccino.

Ein letztes: Ich bin – und ich spüre förmlich das Augenrollen meiner muskulär durchdefinierten Leserinnen und Leser – ein Anhänger der Reibungskletterei. Ich liebe diese erdverbundene Form des Kletterns, bei der es ein entscheidendes Erfolgskriterium gibt: Gewicht auf den Füßen. Dazu braucht man kein Training. Und wie entsetzt war ich, als am vergangenen Samstag auf einer Reibungsplatte im Okertal, die ich noch 1979 solo in EBs hochgeturnt war, meine Füße zu rutschen begannen. Trotz Hightech-Gummi an den Schuhen. Und selbst dem eingefleischtesten Trainings-Fanatiker dürfte es einleuchten, dass die Befähigung zu 150 Klimmzügen mir dort nichts, aber auch gar nichts geholfen hätte. Etwa 20 Minuten nach diesem traumatischen Erlebnis fand man uns daher auch am nächstgelegenen Imbiss, wo uns eine mit einem kühlen Hefe heruntergespülte Currywurst nebst Kartoffelstäbchen binnen einer genussvoll absolvierten Übungseinheit einem hinreichenden Reibungsdruck wieder ein gutes Stück näher brachte.

Wenn das mal nicht auch eine bislang stiefmütterlich behandelte, ziemlich spezifische Form des Klettertrainings ist – wer weiß? Und sollte sich das irgendwann mal herausstellen, und irgendjemand ein Buch darüber schreiben, nehme ich selbstverständlich die Überschrift mit dem Ausdruck ehrlichen Bedauerns zurück.

Peter Brunnert

Training? Absolute nonsense!

Not long ago the TV-show "Biwak" broadcasted a lengthy portrait of ice-climber Ines Papert. Beside all the usual ice-chopping that was shown to be marveled at, there was also some rock-climbing action to be looked at: Ines bravely gasping in some runout Sachsen routes. At the end the viewers caught a glimpse of Ines Garage in Bayrisch-Gmain which looked like a mix between a well-sorted mountain-shop focused on ice-climbing and a fully equipped domina-studio.

Attached was a whole armada of different tools for torture, Fingerboards and Campusboards hung on the blank walls and a rope ladder from the ceiling. On the ground there were special holds for pull-ups on which Ines started a session right away.

The viewers were told that Ines spends approximately 30 hours per week in her training-facility and is capable of doing 150 pull-ups in a row when she's in good condition.

I didn't have to think for very long to be sure that throughout my whole life I was never ever able to do 150 pull-ups. Any regrets? Not really. Have I ever even managed to do 15? Yeah, sure, at the playground way back I had once tried to prove it to some stupid boys from the neighbourhood. I realized pretty soon that this kind of exercise has not been invented to make you happy.

Later on in my life, when I was a climber, I already tried the same game on any doorframe available no matter how brittle it was. We battled for who could do the most, and of course the awaited gain of power never set in. The memory of my last accomplished pull-up is already fading ... wasn't I about to write something about Uli Hoeneß? No, I think I wasn't.

I can easily imagine a laid-back urban attitude which deems pull-ups an awkward expression of males showing off. Among my friends, male and female alike, there might be a few who really do have that attitude. Those thouroughly sympathic folks have always been sceptical about all sorts of physical labour which isn't motivated by existential needs and they have always asked what the heck that might be good for.

To climb harder, of course! – the answer is easy for all the united strongmen and -women out there. Raising my brows I can't but accept this objection and respond the following:

What does "climbing hard" mean exactly? I've been "climbing hard" since my years of adolescence and have done so by strict avoidance of any form of training. I've climbed continuously "harder" since 1972, at least that's the way it felt and must have looked. I have always been at the limit. And to do so you don't need any training. Lack of talent, an unspecific physis and the wrong goals will do to get the feeling that you are in the hardest route in the world which has nothing to do with a grade or lack of training.

To be honest, I don't feel like I am caught in the act if anyone says that my winterly sessions in the bouldering gym are to be subsumed under the term "training".

Of course it's not. I am totally unexcited when I move from jug to jug on a wall with moderate steepness. I like to chat with people, enjoy the best cappuccino in town and after the workout is finished, I enjoy a Weissbier.

That's the way it is. I have no problem to keep my calory-record positive throughout these two hours. If necessary, I'll have two pieces of chocolate-cake with my cappuccino to keep my calory level from going negative.

Last but not least – I am a true fan of friction climbing (and I can sense the eye-rolling of my well-trained readers while I am saying this). I love this earthbound form of climbing where you can feel the weight on your feet, which is the only criteria for success. Therefore, training is not necessary. Believe me, I was really shocked last week, when my feet started to slip off a slab I once soloed in EBs in 1979.

I think that it's clear, even to the most diehard training-freak, that 150 pull-ups wouldn't have helped.

20 minutes after that experience we could be found at the nearby diner fueling-up with some Currywurst and beer to get that weighty pressure back on the feet.

And maybe – I don't know – this could have been called "training" as well, one form of it that tends to be overlooked these days. If anyone ever decides to write a book on that I will take back my headline with utmost regret.

Peter Brunnert

Peter Brunnert (Jahrgang 1957) lebt und arbeitet als freier Autor in Hildesheim und geht meist im Ith oder Elbsandstein klettern. Seine Bücher „Wirklich oben bist Du nie" und „Wir müssen da hoch" sind Pflichtlektüre für jeden, der die Vernunft hat, über den ganzen Vertikalquatsch auch lachen zu können.

Peter Brunnert, born 1957, is a freelance author in Hildesheim who enjoys the rocks of Ith or Elbsandstein. His books "Wirklich oben bist du nie" and "Wir müssen da hoch" are a required reading for anyone with enough sanity to laugh about this whole vertical nonsense.

www.peter-brunnert.de

Servus!